SLECHTS EEN DROOM

Karin Peters

Slechts
een droom

VCL-serie

ISBN 90-242-8593-3
NUGI 341

© 2002, VCL-serie, Kampen
Omslagillustratie: Gerda van Gijzel
Omslagbelettering: Van Soelen Reclame
ISSN 0923-134X

✳ 1 ✳

Het was in het begin van een nieuwe eeuw. Voor twee wereldoorlogen het leven van velen voorgoed zouden veranderen. Het landhuis lag die morgen in de zon, te midden van bloeiende voorjaarsstruiken, en enkele bomen die in de zomer de nodige schaduw gaven. Nu had de zon echter vrij spel doordat de beuken en populieren nog niet volledig in blad waren. Om het huis heen waren velden en akkers, een lappendeken van zachtgroene tinten.

Aan het eind van de grote tuin tussen twee bomen hing een schommel, waarop een meisje zachtjes heen en weer wiegde. Het dikke springerige roodbruine haar hing in een vlecht op haar rug. Haar gezicht werd overschaduwd door een breedgerande hoed. Het hoofddeksel had echter niet kunnen verhinderen dat ze een flink aantal sproetjes had op haar neus en voorhoofd. De hoed verborg voor een deel ook de heldergroene ogen en de directe blik. Een blik die Wendeline Vreehorst zelden neersloeg.

Volgens haar ouders was dit de belangrijkste reden dat zich nog geen serieuze huwelijkskandidaat had aangediend. Nu was Wendeline de laatste die zich daar druk om maakte. Ze was pas eenentwintig jaar geworden en in sommige opzichten nog bijna een kind. Maar naar de gangbare mening in die jaren werd het toch de hoogste tijd dat ze op zijn minst een verloofde had. Het was een feit, veel van haar leeftijdgenoten waren al getrouwd of hadden zelfs kinderen. Echter, veel jonge mannen uit de omgeving waren volgens haar ouders totaal ongeschikt als mogelijke huwelijkspartner voor hun dochter. Het moest om te beginnen een man zijn van goede komaf en bovendien moest hij geld hebben, zodat Wendeline haar zorgeloze leventje, zoals ze nu leidde, kon voortzetten.

Toch was het juist dit leven waar Wendeline af en toe tegen in opstand kwam. Ze kon zich maar moeilijk schikken in het keurslijf waarin haar moeder, Lucie, leefde. Een leven van theevisites en vrouwenverenigingen, handwerken voor de minderbedeelden en trouwe kerkgang. Wendeline wist wel van de armoede die ook in deze streek voorkwam. Haar ouders liepen echter voorbij aan de hutjes waarin de arbeiders woonden. Ze zagen alleen de welvarende boerenhoeven, maar ze verdiepten zich niet in de mensen die er werkten, evenmin trouwens als in de omstandigheden van hun eigen personeel. Ze sloten hun ogen voor de problemen van de mensen die het hoofd boven water trachtten te houden in hun kleine huisjes, vaak overvol met kinderen.

Wendeline was vooral meer over deze zaken te weten gekomen door Greetje, haar beste vriendin. Deze was als boerendochter met een arbeider getrouwd.

Hoewel dit zeer tegen de zin van haar ouders was hadden deze zich er uiteindelijk bij neergelegd.

Ze hadden hun dochter niet de deur gewezen, hoewel dat in die tijd zeker gebeurde. Wendeline bezocht Greetje sinds haar huwelijk regelmatig, overigens zonder dat haar ouders het daarmee eens waren. Wendeline zag de liefde tussen Greetje en haar man en verwonderde zich. Haar eigen ouders gingen koel en afstandelijk met elkaar om, en zij was ervan uitgegaan dat dit uiteindelijk voor elk échtpaar gold. Nu ze Greetje en Arnout zag wist ze dat het ook anders kon.

6

Greetje was degene die haar de ogen had geopend voor het verschil in leefwijze van de mensen in de omgeving waar ze woonde. En Wendeline was erachter gekomen dat zij en haar ouders zich in feite op een eiland bevonden.

Buiten het dorp liep een zandweg. Daar woonde een familie waarvan vader en zoon op de boerderij van Greetjes vader werkten. Evenals trouwens Greetjes man Arnout. Doordat Greetje regelmatig iets werd toegestopt door haar eigen moeder kende ze geen echte armoede. Het was haar christenplicht iets voor mensen te doen die het minder hadden dan zij, had Greetje haar toevertrouwd. De laatste was geschrokken van de armoedige kleine behuizing van het grote gezin. Sindsdien kon Wendeline niet aan hun rijk gedekte tafel zitten, of in haar eigen ruime kamer, zonder aan dergelijke mensen te denken. Soms voelde ze zich onrustig, vooral als ze in de kerk zat, op een van de voorste rijen. Dan zag ze de anderen in hun vaak verstelde kleding, en strikt gescheiden van mensen zoals haar ouders. Vaak hadden die mensen moeite om wakker te blijven, dit tot grote verontwaardiging van Wendelines vader. Wendeline begreep echter dat die mensen echt doodmoe waren.

Ook op dit moment, zittend op de schommel, was Wendeline in gedachten met dit soort zaken bezig. Ze wilde aan haar moeder vragen of ze ook iets voor deze mensen konden doen. Ze wist echter bijna zeker dat haar ouders zouden zeggen dat ze zich vreemde ideeën in haar hoofd haalde. Verschil tussen arm en rijk was er altijd geweest, zou haar vader beweren. Met waarschijnlijk ook nog de opmerking dat God de mensen had geplaatst waar ze nu waren. Als ze tegen hem inging en zei dat ze niet geloofde dat God degene was die de zaken zo oneerlijk had verdeeld, zou haar vader haar weleens kunnen verbieden Greetje nog op te zoeken.

Toen Wendeline haar moeder zag aankomen nam ze echter een besluit.

Voor ze zich kon bedenken flapte ze eruit: „Moeder, wat versta jij onder christenplicht?"

Een beetje verrast keek Lucie haar aan. Het verwonderde haar dat Wendeline over deze dingen nadacht. Voorzichtig formuleerde ze: „Ik denk dat een van de belangrijkste dingen is dat je aandacht hebt voor je medemens."

„Alleen voor mensen die het net zo goed hebben als wijzelf?"

Lucie fronste de wenkbrauwen. Ze had kunnen weten dat er een addertje onder 't gras school. Was haar dochter vorige week niet bij Greetje geweest? Daar kwam ze altijd met opstandige gedachten vandaan. Ze zou deze bezoekjes eigenlijk moeten verbieden, maar ze vreesde dat dit weinig zou uithalen. Ze kon Wendeline moeilijk opsluiten. Nu waren er echter andere zaken aan de orde. Iets wat Wendeline ten zeerste aanging en waarvan haar dochter nog niets wist. Ze keek naar het meisje dat haar groene ogen niet neersloeg. „Ik weet niet wat je met die opmerking bedoelt," hield Lucie zich op de vlakte.

„Wij zijn rijk, we zouden die rijkdom moeten delen met de armen," zei Wendeline kalm.

„Met kerst…" begon Lucie.

„Moeder, wat stelt dat nou voor? Kerstbrood uitdelen…"

„We zorgen samen met anderen dat de armen met kerst een goede maaltijd krijgen," zei Lucie koel.

Wendeline sprong van de schommel. „En na de kerst

kunnen ze creperen. Als ik ooit de beschikking heb over geld dan zal ik meer doen."

„Het is te hopen dat je echtgenoot het daarmee eens is."

„Ik trouw alleen met een man die niet boven op zijn centen zit," zei Wendeline koeltjes.

„In dat verband moeten we eens praten. Er komt vanavond bezoek voor je."

Wendeline probeerde haar moeders blik te vangen, maar Lucie leek veel belangstelling te hebben voor een merel die vlakbij in de grond woelde.

„Komt dat bezoek speciaal voor mij?" vroeg ze.

„Jazeker."

Nu gealarmeerd ging Wendeline recht voor haar moeder staan. „Moeder, wat heeft dit te betekenen?"

„Je weet dat wij ons zorgen maken dat jij nog steeds alleen bent. Nog geen verloofde hebt, bedoel ik... Er is nu een jongeman die belangstelling voor je heeft. Hij zag je enkele malen in het dorp en wil vanavond met ons en met jou komen kennismaken."

„En wie mag dat wel zijn?" vroeg Wendeline langzaam.

„Het is Harry de Meester, de zoon van de notaris. Hij heeft zijn studie afgerond en..."

„Je kunt onmogelijk die opgeblazen kikker bedoelen. Die vent met dat geplakte haar en die belachelijke snor. Hij heeft de punten omhoog geplakt en hij kan zo in een circus."

Lucie zuchtte diep. „Je bent zo hard in je oordeel. Je kent die jongeman helemaal niet."

„Ik heb hem een keer in de kerk gezien en ook horen praten toen ik langs hem liep. Hij heeft zo'n geaffecteerd toontje."

„Volgens je vader is hij zeer..."

„Respectabel? Vergeet het, moeder. Ik ben er niet vanavond."

Wendeline sprak zeer beslist.

„Wendy, dat kun je ons niet aandoen. Je kunt ons niet zo voor gek zetten. Te schande maken voor het hele dorp."

Wendeline beet op haar lip, nam haar hoed af en zwaaide die langzaam heen en weer. Dat haar moeder niets zei in de trant van 'Denk om je huid. Je krijgt sproeten van de voorjaarszon', wees erop dat andere belangrijker zaken haar bezighielden.

„Misschien is het wel jouw christenplicht om je ouders te gehoorzamen," herhaalde Lucie Wendelines woorden van even geleden.

Wendeline keek haar fronsend aan. „Ik heb het gevoel dat je nu op een bepaalde manier chantage pleegt. Maar goed, het is ook eerlijker als ik het hem zelf zeg."

„Wat zeg je?" vroeg Lucie verontrust.

„Dat ik er niets voor voel om verloofd te raken met een man die ik niet ken."

„Maar je kunt hem toch leren kennen," pleitte Lucie.

„Daar heb ik geen enkele behoefte aan. Moeder, zeg eens eerlijk, toen jullie trouwden, was je toen verliefd op vader?"

„Dit is een tamelijk ongepaste vraag," antwoordde haar moeder stijf.

„Waarom? Je kunt toch gewoon antwoord geven?"

Na even gezwegen te hebben zei Lucie: „Verliefd misschien niet. Maar ik respecteerde hem."

„Arme moeder," was het onverwachte antwoord. Waarop Wendeline verder de tuin in liep en haar moeder alleen liet. De hoed liet ze achteloos vallen.

Lucie zag aan de manier waarop ze liep en de lange

10

rok die om haar benen zwierde dat ze boos was. Zij kon hier echter weinig aan veranderen.

Ze had tegenover Paul, haar echtgenoot, nog haar twijfel uitgesproken of ze Wendeline wel zo voor een voldongen feit moesten plaatsen. Hij had echter geantwoord dat ze blij mochten zijn dat zich iemand aandiende. Er waren in deze omgeving nu eenmaal weinig jongemannen die geschikt waren als echtgenoot voor hun dochter. Deze jongeman was een uitgelezen kans.

Hij was dan misschien niet knap, maar hun dochter voldeed ook niet direct aan een schoonheidsideaal, met haar roodbruine haar en de vele sproeten, aldus haar echtgenoot. Lucie had niet gezegd dat hij bedankt werd voor die opmerking. Wendeline leek namelijk sprekend op haarzelf. Paul had nog opgemerkt dat Wendelines weinig meegaande karakter ook niet bepaald in haar voordeel werkte.

Lucie zuchtte voor de zoveelste maal die dag. Als moeder wilde je toch dat je kind gelukkig was. Zijzelf had haar dromen al lang geleden begraven. Moest ze dit van haar dochter ook eisen? 'Was je verliefd?' had ze gevraagd. Lieve help, ze wist niet eens wat dat was.

Moesten ze wachten tot Wendeline verliefd werd? Die kans was uitermate klein. Maar wat was het alternatief als het niets werd tussen Wendeline en de notariszoon? Greetje was verliefd geworden, dat had haar dochter haar meermalen duidelijk gemaakt. De verliefdheid zou daar echter wel snel de deur uitvliegen als de armoede binnenkwam. Het was dat Greetjes ouders hen min of meer onderhielden. Maar dat zouden ze ook niet eindeloos kunnen volhouden.

Greetje had nog twee zusters. En wat als er kinderen kwamen? Dat zou vast niet lang uitblijven, want verliefde mensen verloren hun verstand wat dat aanging.

Ooit had Lucie haar eigen moeder gevraagd: „Hoe komt het toch dat arme mensen zoveel kinderen hebben?" Het antwoord was geweest: „Het is het enige pleziertje dat die mensen hebben."

Waarmee haar moeder niet het kinderen krijgen op zich bedoelde, maar datgene wat eraan voorafging. Lucie voelde dat ze het warm kreeg.

Zijzelf had na Wendeline een miskraam gekregen en toen had Paul het genoeg gevonden. Hij wilde haar zoiets niet nog een keer laten doormaken, had hij gezegd. Ze hadden dan ook al jaren aparte slaapkamers.

Soms vroeg Lucie zich weleens af of Paul mogelijk met een andere vrouw... Maar nee, zo mocht ze niet denken. Paul was in deze omgeving een gerespecteerd man. En een christen, voorzover zij wist. In iemands hart kijken was onmogelijk, maar uiterlijk was er niets op haar echtgenoot aan te merken.

Lucie wist heus wel dat kerkmensen ook niet altijd brandschoon waren. Maar ze ging er toch van uit dat een misstap van Paul in een dorp als dit niet geheim zou blijven. Nee, het waren zomaar wat vage gedachten en Paul zou vast heel erg verontwaardigd zijn als hij ervan wist.

Toch zou ze willen dat haar dochter meer geluk had in haar leven, en vooral meer liefde, dan zijzelf had gekend. Ze had wel vreemde gedachten vandaag.

Was zij soms verantwoordelijk voor het geluk van haar dochter? Wendeline was zo afwijzend geweest toen ze over die jongeman hoorde. Zijzelf zou in elk geval haar ogen en oren goed openhouden als die jongeman vanavond zijn opwachting maakte, nam ze zich voor.

Wendeline was intussen met grote, weinig damesachtige passen naar het hek gelopen. Het hek dat hun huis en tuin afscheidde van de rest van de wereld, zoals ze soms dacht. Toen ze de ijzeren afscheiding opende was er niets te horen, zelfs geen geknars van scharnieren. Ja, een en ander werd hier uitstekend onderhouden, maar daar hadden ze dan ook een tuinman voor.

Ze begon nu de onverharde weg die naar het dorp liep af te lopen. Ze moest met iemand praten over datgene wat ze zojuist had gehoord. En wie zou haar beter begrijpen dan Greetje? Terwijl Wendeline daar zo langs de weg liep voelde ze zich niet op haar gemak. Ze wist dat haar ouders het niet zouden goedkeuren als ze zomaar midden op de dag langs de weg liep.

Een avondwandelingetje was tot daar aan toe, maar overdag was dit een teken van ledigheid, zei men. Het was een feit, ze kwam niemand tegen, vrouwen en meisjes werden geacht zich met andere zaken bezig te houden dan in de voorjaarszon over een landweg lopen. Maar wat had zijzelf te doen, behalve dan met kleine steekjes aan haar uitzet naaien? Lakens zomen bijvoorbeeld. Haar ouders gingen er nu blijkbaar van uit dat ze daar ooit met de notariszoon onder zou liggen.

Ondanks de toch al warme voorjaarszon huiverde ze. Ze moest er niet aan denken dat ze met die figuur verloofd zou raken en op langere termijn met hem zou trouwen.

Ze zou zich hiertegen met hand en tand verzetten. Er was echter ook een zekere angst dat ze de loop der gebeurtenissen niet zou kunnen tegenhouden.

Het huis waar Greetje sinds haar huwelijk woonde lag aan de rand van het dorp. Wendeline opende het houten hekje dat de kleine strook grond afscheidde van de weg. Het lapje grond was benut voor het poten van aardappels. Toen ze Greetje had gevraagd waarom ze geen bloemen zaaide, ook het piepkleine stukje grond aan de achterkant werd gebruikt als moestuin, had haar vriendin geantwoord dat ze zich een dergelijke verspilling niet konden veroorloven. Ze hadden die aardappels en groenten gewoon nodig. Evenals het varken dat in het hok achter het huis rondscharrelde.

Het dier had een omheinde ruimte van hoogstens twee bij twee meter. Elke keer als Wendeline hier aankwam overviel haar de stank. Ze wachtte zich er echter wel voor dit aan Greetje te laten merken. Nu opende ze de deur en stapte binnen. Dit was gewoonte, want een bel was er niet. Via een klein portaal kwam ze in de woonkamer en bleef abrupt staan. Bij de tafel stonden Greetje en haar man in een innige omarming. Ze lieten elkaar onmiddellijk los en keken haar een beetje beduusd aan.

„Ik wist niet…" begon Wendeline.

„Dat kon je niet weten. Maar is het bij jullie niet gebruikelijk om te kloppen? Of vind je dat bij ons soort mensen niet nodig?"

Greetjes echtgenoot Arnout keek haar strak aan. Wendeline kreeg een kleur.

„Goed, ik ga nu."

Arnout streelde Greetjes wang zonder Wendeline nog een blik waardig te keuren. Toen de deur achter hem was dichtgeslagen liep Greetje naar het raam en keek hem na.

„Gaat hij voor langere tijd weg?" vroeg Wendeline.

Ze was nog steeds een beetje beduusd door de onvriendelijke opmerking van Arnout.

„Hij gaat gewoon naar zijn werk."

Greetje lachte nu. „Kijk maar niet zo beteuterd. Hij schrok toen je zo ineens binnenkwam. Maar we deden niets verkeerds. We zijn tenslotte getrouwd."

„Ik had moeten kloppen," zei Wendeline schuldbewust.

„Nou, dan doe je dat toch in het vervolg. Dit is een beetje een ongebruikelijke tijd voor jou. Wij hebben net gegeten. Arnout is vanavond pas om half zeven thuis."

Was dat de reden dat ze afscheid namen of hij voor enkele maanden naar een oorlogsgebied vertrok? vroeg Wendeline zich af. Maar ze zei niets.

Misschien was dit wel gewoon bij mensen die verliefd waren. Ze zag zichzelf nog niet op die manier afscheid nemen van de notariszoon. Wat haar bracht bij het doel van haar bezoek. Ze haalde diep adem en zei: „Het lijkt erop dat mijn ouders iemand hebben gevonden die met mij wil trouwen."

„Je meent het. Kom, ga zitten en vertel."

Greetje wees naar de twee rieten stoelen bij het raam en even later zaten ze tegenover elkaar. Wendeline dacht even aan de salon thuis met de gemakkelijke met fluweel beklede stoelen en met de grote ramen met uitzicht op de tuin. En dat was niet de enige kamer bij hen thuis.

Beneden waren vier vertrekken en een grote keuken en boven evenzoveel slaapkamers, en een badkamer. Terwijl Greetje en Arnout alleen maar dit vertrek hadden. Ze sliepen op zolder, voorzover zij op de hoogte was. Maar het slapen was eigenlijk nooit ter sprake gekomen. Hoewel zij en haar vriendin best openhartig tegen elkaar waren, vond Wendeline dat laatste toch een moeilijk onderwerp om ter sprake te brengen. Hoewel de vragen soms op haar tong brandden.

„Het is de zoon van de notaris," zei ze toen.

„Harry de Meester? Lieve help, Wendy."

„Ja, zeg dat wel. Ik ga natuurlijk weigeren, maar ik ben zo bang dat ze mij zullen dwingen."

Greetje knikte langzaam. Ze kende de ouders van Wendeline en vond die laatste gedachte helemaal niet denkbeeldig.

„Denk je dat je verliefd op hem zou kunnen worden?" aarzelde ze.

„Op die Harry? Nooit van mijn leven."

„Dan moet je absoluut weigeren," zei Greetje beslist. „Weet je nog dat ik indertijd met die zoon van Brinkhorst zou trouwen? Dat hadden de wederzijdse ouders zo beslist. Maar ik heb voet bij stuk gehouden, ik ben blijven weigeren, omdat ik toen al verliefd was op Arnout. Nou, je ziet het resultaat, de aanhouder wint."

„Zo gaat het niet altijd. Er zijn ook andere voorbeelden," zei Wendeline zacht. „Jouw ouders waren nu toevallig redelijk."

„Ze begrepen op den duur dat Arnout de enige voor mij was," zei Greetje met een glimlach.

Wendeline begreep dat Greetje gelukkig was met haar leven zoals het nu was. Dat ondanks haar vrij sobere bestaan.

„Mijn ouders zijn heel anders dan de jouwe," zuchtte ze.

Dat was zeker waar. Greetje had een lieve zachtaardige moeder, die wel enige invloed op haar man had. Wendeline wist zeker dat zelfs als haar moeder het met haar eens was, ze toch niet tegen haar vader zou durven ingaan.

„Als je nu maar iemand had op wie je verliefd was," peinsde Greetje. „Dan stond je er niet alleen voor. Ik had indertijd veel steun aan Arnout. Maar je kunt natuurlijk altijd weglopen."

16

„Waarheen?" vroeg Wendeline praktisch. Dat wist Greetje ook niet zo een twee drie. Hoewel ze allerlei mogelijkheden overwogen kwamen ze toch niet verder dan 'eerst maar eens zien hoe het loopt'.

Toen Wendeline op het punt stond te vertrekken zei ze: „Ik moet er niet aan denken dat ik met hem... met die Harry naar bed moet."

Greetje giechelde, zei toen: „Voor je daaraan begint moet je zorgen verliefd te zijn. Als je denkt: dat zou ik graag willen. Dan is het... nou ja, dan is het bijzonder."

Greetje kreeg er een kleur van.

Toen Wendeline de weg terug liep bedacht ze dat ze toch iets wijzer was geworden. Ze moest gewoon wachten tot ze op iemand verliefd werd, en ze wist wel zeker dat haar dat niet bij Harry de Meester zou overkomen.

Ze was alleen bang dat haar ouders dat niet zouden begrijpen. Bij elkaar slapen was bijzonder, had Greetje gezegd. Maar haar eigen ouders hadden aparte slaapkamers, zolang zij zich kon herinneren. Misschien waren zij wel nooit verliefd geweest. 'Ik had respect voor hem,' had Lucie gezegd.

Arme moeder, dacht ze voor de tweede keer die dag. Zo wilde zij het niet.

Het moest toch mogelijk zijn hun dat duidelijk te maken.

Toen ze vlak bij huis was zag ze haar moeder bij het hek de landweg afturen. Het irriteerde haar ineens. Ze was eenentwintig en oud genoeg om te trouwen. Waarom controleerde moeder haar voortdurend?

Ze liep het hek binnen en wilde haar moeder zonder iets te zeggen passeren, maar Lucie stak direct van wal. „Je was zeker weer bij die Greetje."

„Ja, ik was bij Greetje. Ze is mijn vriendin."

„Je weet dat wij die vriendschap afkeuren."

„Ik kan ook een vriendschap onderhouden zonder jullie goedkeuring," zei ze scherp.

„Altijd als je daar vandaan komt ben je dwars en opstandig. Ze heeft geen goede invloed op je."

Wendeline bleef staan en draaide zich met een ruk om, zodat haar moeder bijna tegen haar opbotste. „Ik was bij Greetje en ik zag twee mensen die van elkaar houden…"

„Dat kun jij niet beoordelen."

„O ja. Toch wel. Ze zoenden elkaar."

„Waar jij bij was?" vroeg Lucie verontwaardigd.

„Ik liep naar binnen en toen zag ik hen. Ik heb jullie dat nooit zien doen."

Het klonk nogal uitdagend en Lucie fronste.

„Ik vind dat nogal raar. Zomaar overdag en…"

„Moeder, dat zal mij met de notariszoon niet over-komen," zei Wendeline beslist.

„Dat denk ik ook niet. Hij is natuurlijk veel beschaafder dan die twee waar je net vandaan komt. Ik ben blij dat je dat tenminste inziet," zei Lucie tevreden.

„Is elkaar zoenen onbeschaafd?" vroeg Wendeline met de bedoeling haar moeder in verlegenheid te bren-gen, waar ze in slaagde want Lucie kreeg een kleur.

„In het openbaar wel," zei haar moeder niettemin koppig.

„Ze waren in hun eigen huis," zei Wendeline.

„Houd nu eindelijk eens op," zei Lucie, driftig wor-dend. „Wat kan mij die Greetje schelen? Ze zijn een heel ander soort mensen dan wij."

„Veel minder?" vroeg Wendeline liefjes.

Lucie zweeg. Ze deed beter haar dochter niet verder te prikkelen.

Anders kon het vanavond wel eens volledig uit de

hand lopen. Ze wist uit ervaring dat Wendeline zich bijzonder recalcitrant kon gedragen.

Harry verwachtte waarschijnlijk een bescheiden, keurig opgevoede jongedame.

En bescheiden was Wendeline zeker niet. Netjes opgevoed was ze wel, maar Lucie had soms het gevoel dat haar dochter alles wat haar was bijgebracht aan haar keurige laarsjes lapte.

Die avond, toen Wendeline in de brede vensterbank zat, zag ze hem komen.

Je kon hem ook moeilijk over het hoofd zien want hij kwam per automobiel.

Niemand in het dorp had tot nu toe een dergelijk voertuig en Wendeline bleef verbaasd kijken tot het vehikel tot stilstand was gebracht.

Ze zag de jongeman uitstappen. Hij bleef even staan, keek om zich heen, trok toen langzaam zijn handschoenen uit, terwijl zijn blik op het huis was gericht. Wendeline trok zich wat terug. Ze gunde hem niet het plezier te denken dat zij zich aan die auto vergaapte.

Zijzelf had sinds haar achttiende een tweewielig wagentje met paard, dat ze met plezier gebruikte.

Ze hoorde de deur geopend worden door Mia, het meisje voor dag en nacht.

Dit hulpje heette eigenlijk Mietje, maar haar moeder had dit onmiddellijk veranderd in Mia, overigens tegen de zin van het meisje.

Ze luisterde scherp. Nu zou Harry in de kamer worden gelaten en dan zou zij worden geroepen. Ze kon zich natuurlijk schuilhouden. In dit grote huis waren plaatsen genoeg waar haar ouders zelden kwamen. Trouwens, ze zouden in dat geval stellig niet het hele huis doorzoeken. Ze deed echter maar beter de zaak onder ogen te zien en zodra ze de gelegenheid kreeg gelijk te zeggen waar het op stond.

Langzaam liep ze naar de deur en wierp nog een vluchtige blik in de spiegel. Waarschijnlijk vond hij haar van dichtbij toch te lelijk, dacht ze ironisch.

Even later zat ze met haar ouders en het bezoek in de grote salon. Ze dronk met kleine slokjes haar thee en wierp af en toe een blik op de jongeman die met haar vader praatte. Hij had een wat hoge stem en Wendeline stelde zich voor dat ze die stem voor de rest van haar leven zou moeten aanhoren.

Ze moest er niet aan denken. Het eerste halfuur vermeed Harry haar aan te kijken, maar toen er een stilte viel zei hij ineens: „Ik neem aan dat je ouders er geen bezwaar tegen maken als jij en ik een wandeling maken.”

Het klonk tamelijk dominant en haar ouders knikten beiden. Wendeline wist dat ze niet kon weigeren, wilde ze niet hoogst onbeleefd lijken. Dus liep ze met hem mee naar buiten en ving nog juist de tevreden blik van haar vader op. Dacht hij soms dat ze verloofd zouden terugkomen?

Hij was toch wel erg naïef en kende haar slecht, als hij dacht dat ze zonder meer overstag zou gaan.

Ze liepen zwijgend tot ze uit het zicht van het huis waren. Toen stond hij stil en zei: „Je weet waarschijnlijk waarvoor ik kom.”

Ze keek hem aan, zag de wat koele blauwe ogen en de opgedraaide glimmende snor. Een echt heertje, dacht ze.

„Ik heb zo'n vermoeden,” zei ze in antwoord op zijn vraag.

„Ik zag je enkele malen in het dorp. En ik bleef aan je denken… Je vader vindt goed dat wij elkaar wat vaker zien en…”

„Mijn vader kan van alles goedvinden. Ik heb hierin het laatste woord, denk je ook niet? En laat ik nu maar gelijk zeggen waar het op staat: ik ben niet van plan met jou verder te gaan. Niet met jou en voorlopig ook niet met iemand anders."

Ze hoorde zelf dat het allemaal nogal cru klonk, maar hoe zei je zoiets voorzichtig? Het kon beter maar gelijk duidelijk zijn. Hij keek haar tamelijk onthutst aan.

„Maar hoe kun je dat nu al zeggen? We kennen elkaar niet eens."

„Daarom juist."

„We kunnen elkaar toch leren kennen?"

„Daar zie ik het nut niet van in," zei ze koppig.

„Heb je er dus bezwaar tegen als we elkaar zo af en toe ontmoeten?"

Het klonk teleurgesteld en ineens vroeg ze zich af of hij werkelijk verliefd op haar was. In dat geval… maar dat kon ze hem niet vragen.

Althans nu nog niet. Hij zag er best goed uit eigenlijk. Behalve die snor dan. Alles was een beetje gladjes en keurig in de plooi. Als hij zich wat nonchalanter gedroeg en… Misschien was het wel onverstandig hem gelijk af te wijzen. Stel dat ze verliefd op hem werd. Dat kon ze zich nu niet voorstellen, maar je wist nooit… Dan zou ze een goede kans mislopen, zoals haar vader ongetwijfeld zou zeggen. Daarnaast wilde ze ook weleens weten hoe het was, zo af en toe samen zijn met een jongeman.

„Goed dan. Maar verder geen beloften of afspraken," ging ze overstag.

„Afgesproken," ging hij akkoord. En dan enthousiast: „Zal ik je van de week komen halen voor een autoritje?"

Wendeline aarzelde. Dat leek haar wel leuk, ze had nooit in een dergelijk voertuig gezeten. Aan de andere kant wilde ze niet al te gretig overkomen.

Ze vroeg: „Waarom ben je per auto hiernaartoe gereden? Je bent lopend in tien minuten aan de andere kant van het dorp waar je ouders wonen."

„Nu ik een auto heb loop ik niet meer," zei hij met enige bravoure.

„Wat gek," flapte ze eruit.

Hij fronste, maar Wendeline vroeg zich af of hij een type was dat gemakkelijk was te overtuigen met woorden. Ze besloot echter dit voorlopig niet uit te proberen.

Toen ze bij de schommel waren vroeg ze: „Wil je me even duwen?"

Hij stond haar aan te kijken en verroerde zich niet.

„Nou?" Haar ogen schitterden ondeugend.

„Hoe oud ben je?" vroeg hij kortaf.

„Je weet ongetwijfeld mijn leeftijd," zei ze even kort.

Na nog een blik op de schommel liep hij door en na even aarzelen volgde ze hem. Ze had geen zin in een woordenwisseling met haar ouders. Hij vond het duidelijk bespottelijk dat ze wilde schommelen. Nou, er zouden vast meer dingen zijn waar hij zich niet mee kon verenigen en het gemakkelijkste zou zijn als hij zich uit zichzelf terugtrok.

Toen Harry naar huis was, zei haar moeder: „Hij is een keurige jongeman. En hij ziet er goed uit."

„Ik vind hem niet eens aardig," antwoordde Wendeline. „Hij is zo pedant. Omdat hij een auto heeft aangeschaft wil hij nooit meer ergens heen lopen. Belachelijk."

„Hij is trots op die auto," merkte haar vader op.

„Heeft hij hem zelf verdiend?" vroeg Wendeline.

„Dat gaat ons niet aan. Bedenk goed, Wendeline, dit is een uitstekende partij. Je zult je leventje zoals het nu is voor het grootste deel kunnen voortzetten."

„Behalve dan dat ik buigen moet voor de wensen van een vent met een opgedraaide snor," zei ze heftig.

„Ik zou me maar een beetje inhouden," zei haar vader met een dreigende blik in haar richting. „Zoveel kansen zul je niet meer krijgen."

Wendeline ging op dat laatste niet in. Ze wist heus wel dat ze haar uiterlijk niet mee had. Maar toch was dit niet wat ze wilde. Haar leven zoals het nu was voortzetten, maar dan samen met deze Harry. Ze had het gevoel dat ze in haar vrijheid beperkt zou worden. Nog liever bleef ze alleen en wachtte tot de liefde in haar leven kwam. Ze was zich er zeer wel van bewust dat er grote kans bestond dat dit nooit zou gebeuren.

❆2❆

Na een aantal weken wist ze het zeker. Ze wilde niet verder met Harry de Meester. Toen ze dit tegen haar moeder zei, antwoordde deze: „Dat kun je hem niet aandoen. Het hele dorp weet inmiddels dat jullie met elkaar omgaan."

„Dit was maar een proefperiode," weerlegde Wendeline.

„Zo ziet hij het niet, dat weet ik zeker."

„Ik heb hem duidelijk gezegd dat hij geen consequenties aan onze ontmoetingen moet verbinden. Hij was het daar toen mee eens."

„Dat kan ik niet geloven."

„Hij ging in elk geval akkoord," zei Wendeline met het gevoel dat ze langzaam een richting werd opgestuurd die ze absoluut niet wilde.

„Jij stelde dus die voorwaarde. Hij ging er natuurlijk van uit dat je snel genoeg van gedachten zou veranderen," meende Lucie.

„Nou, dan heeft hij zich vergist," zei Wendeline kalmer dan ze zich voelde.

Lucie schudde het hoofd. „Wendy, dit kan echt niet. Je kunt die jongeman niet zo vernederen."

Wendeline kneep haar handen in elkaar. Ze kreeg het idee dat ze geen kant meer op kon. „Als hij nadenkt, dan kan hij weten dat ik niet met hem verder wil. Ik heb nooit toegelaten dat hij me zoende. Maar als jij denkt dat hij van mening is dat ik overstag zal gaan, dan moet ik er zo snel mogelijk een eind aan maken. Moeder, je kunt niet willen dat ik doodongelukkig word."

24

„Word je niet doodongelukkig als je voor je verdere leven alleen blijft?" was Lucies wedervraag.

Wendeline zweeg en keek door de grote ramen de tuin in. Het was regenachtig, de struiken waren donker van het water.

De jasmijn liet bij iedere windvlaag meer van zijn bloesem vallen.

Had haar moeder gelijk? Bij het trouwen van Greetje had de burgemeester gezegd: „Voor een vrouw is trouwen en kinderen krijgen het hoogste goed."

Het was dus niet alleen haar moeder die er zo over dacht. Ze wilde ook niet alleen blijven. In het dorp woonde een vrouw die nooit een man had gehad en over haar werd altijd een beetje meewarig gedaan. Men praatte of het werkelijke leven aan haar voorbij was gegaan. Maar zij, Wendeline, was nog jong, er kon iemand anders komen. Die kans was echter niet groot als ze hier in het dorp bleef wonen.

„Stel nu eens dat God deze jongeman op je weg heeft gebracht," hoorde ze haar moeder dan zeggen.

Wendeline keerde zich met een ruk naar haar toe.

„We geloven toch dat God mensen samenbrengt. Het staat ook in het huwelijksformulier. Wat God heeft samengevoegd scheide de mens niet."

„Ik weet wat er staat. Maar aan een huwelijksformulier zijn we nog niet toe," reageerde Wendeline nors.

Ze stond op en ging de kamer uit. Het was of het net steeds dichter om haar werd aangehaald.

„Het punt is, ik wil heus wel een keer trouwen, maar niet met hem," zei ze die middag tegen Greetje. Haar vriendin was bezig een zoom te naaien in een wijde onderrok. Ze beet met haar tanden de draad af, en zei:

„Ik dacht dat het al beklonken was tussen jullie. Ik hoor dat jullie veel samen worden gezien."

„Greetje, jij moest toch beter weten."

De ander keek haar aan. „Je moet hem niet aan het lijntje houden, Wendy. Daar krijg je een slechte naam door. Zoiets raakt bekend en anderen lopen met een boog om je heen. Geen man wil door een vrouw worden afgewezen."

„Wat moet ik toch doen?" zuchtte Wendeline.

„Ja of nee zeggen," antwoordde Greetje simpel.

„Hij accepteert geen nee. Mijn ouders ook niet."

„Dan ben je niet overtuigend genoeg," meende haar vriendin.

„Mijn moeder zegt dat God hem misschien op mijn weg heeft gebracht."

Greetje zuchtte. „Dat zeggen ouders altijd als ze hun zin willen hebben."

„Nou, vanmiddag komt hij weer. Ik zal zeer overtuigend zijn."

Wendeline vond dat Greetje er erg gemakkelijk over dacht. Ze pakte een stuk krant van tafel. Haar oog viel bijna direct op een advertentie. Terwijl Greetje bezig was met theezetten las en herlas ze deze.

Toen scheurde ze voorzichtig het stukje tekst uit de krant en hield het vodje papier opgevouwen in haar hand. Ze praatte met Greetje, vroeg naar Arnout en wat zijzelf zoal deed en intussen hield ze het krantenknipsel stijf in haar hand geklemd.

Toen ze op het punt stond weg te gaan zei Greetje nog: „Laat je niet dwingen. En als je hulp nodig hebt, als ik iets kan doen, ik sta klaar."

„Ik zal het onthouden," zei Wendeline ernstig. Ze bedacht dat dit weleens eerder kon zijn dan haar vriendin dacht.

Het was opgehouden met regenen, maar de landweg was modderig en vol plassen.

Misschien kwam Harry vandaag niet, dacht ze hoopvol. Hij vond het buitengewoon vervelend als zijn auto vuil werd. Wendelines rok kwam onder de modderspatten, maar dat kon haar weinig schelen.

Eenmaal thuis verborg ze het stukje papier in haar sieradendoos. Eerst maar eens zien hoe het vanmiddag verliep. Als ze Harry kon overtuigen en hij nam genoegen met haar 'nee', dan was alles in orde.

Halverwege de middag klaarde het weer op. De zon verscheen regelmatig en op de afgesproken tijd kwam Harry voorrijden. Hij praatte buiten even met Wendelines vader en terwijl ze naar hen keek bekroop haar een onaangenaam gevoel. Misschien beklaagde Harry zich over haar en mogelijk gaf haar vader hem raad hoe haar aan te pakken. Hijzelf was immers ook getrouwd met een vrouw die niet verliefd op hem was.

Toen ze vertrokken, verscheen ook haar moeder nog even buiten. „Nou kind, veel plezier. Het is wel een voorrecht, zo met een auto."

Wendeline antwoordde niet, maar schoof met een strak gezicht naast Harry.

Zijzelf reed nog steeds veel liever met de tilbury. Ze werd soms een beetje misselijk in de auto door de stank en niet te vergeten het geschok.

Harry zei de eerste tijd niets. Hij reed keurig midden op de weg en bleef daar ook rijden, toen een boerenkar uit de tegenovergestelde richting kwam.

De boer was genoodzaakt om ver in de berm uit te wijken en Wendeline zag aan het gezicht van de man dat hij niet bepaald vriendelijk over hen dacht. „Jij zou ook kunnen uitwijken," gaf ze Harry in overweging.

„Voor zo'n boer zeker," was het kalme antwoord.

Wendeline zei niets, ze was inmiddels wel aan zijn arrogantie gewend. Harry reed tot ze bij een park kwamen waarin een theeschenkerij was. De zon was nu volledig doorgebroken en Harry stelde voor om wat te wandelen. Braaf liep Wendeline naast hem.

Het was rustig in deze omgeving. Er waren nu eenmaal weinig mensen die overdag tijd hadden om in een park te wandelen. Harry werkte dan wel op zijn vaders kantoor, maar in Wendelines ogen had dat niet veel om het lijf. Even later stelde hij voor om op een bank te gaan zitten.

Ze zaten enkele minuten toen hij een arm om haar heen legde. Wendeline bleef als een standbeeld zitten. Het kon niet anders of hij moest haar schouders voelen verstrakken. „We moeten nu eindelijk eens plannen maken," zei hij.

„Waarvoor?" hield ze zich van de domme.

„Doe niet net of je niet weet waarover ik het heb. Ik vraag je nu officieel mijn verloofde te worden. Dan kunnen we een trouwdatum vaststellen."

Ze keek hem aan. Zijn lichte ogen waren vragend op haar gericht. Ineens boog hij zijn hoofd en trok haar tegen zich aan, begon haar te kussen. Eerst deponeerde hij enkele vochtige zoenen op haar wang en toen vond zijn mond de hare.

Wendeline worstelde om los te komen, maar hij hield haar stevig vast. Ze duwde met beide handen tegen zijn schouders en toen dat niet hielp zette ze haar tanden in zijn lip. Hij liet haar snel los en duwde haar weg. Toen draaide hij zijn rug naar haar toe en depte zijn lip met een zakdoek. Wendeline dacht aan alle romantische momenten waarover ze gelezen en gedroomd had en wist niet of ze huilen moest of lachen. Ze besloot tot het laatste en draaide zich snel om.

„Hou op," beet hij haar toe. Zijn ogen waren vol woede op haar gericht.

Wendeline kon niet weten dat juist deze afwijzing hem nog meer prikkelde om haar voor zich te winnen. Hij besloot tot een andere tactiek.

„Ik overviel je... ik had eerst..."

Hij haalde de schouders op. „Wendeline, je gedraagt je zo afstandelijk. Wil je me nu antwoord geven op mijn vraag van daarnet?"

„Laat me nadenken," verzocht ze om tijd te winnen. Ze wist dat haar antwoord 'nee' moest zijn. Maar ineens zag ze verschrikkelijk op tegen de trammelant die daarop zou volgen. Niet alleen met hem, maar ook met haar ouders.

„Kunnen we 't nog even uitstellen?" aarzelde ze.

„Voor we 't officieel maken, bedoel je dat?"

Ze zag zijn ogen oplichten.

Uit wat ze gezegd had maakte hij natuurlijk op dat haar antwoord op langere termijn 'ja' zou zijn.

„Hoe lang wil je dan nog wachten?" eiste hij.

„Tot na de zomer," antwoordde ze.

„We zouden ons dan met kerst kunnen verloven en in het voorjaar trouwen," stelde hij voor.

Ze mompelde wat waaruit hij ten onrechte opmaakte dat ze 't met hem eens was. Toen hij opnieuw zijn arm om haar heen legde liet ze dit toe, intussen hopend dat hij het zoenen achterwege zou laten.

„Ik zag je vanmorgen in het dorp," zei hij dan.

Ze knikte. „Ik was bij Greetje. Zij is mijn vriendin."

„Dat heb ik begrepen." Het klonk een beetje stuurs en nogmaals zei ze: „Zij is mijn beste vriendin."

„Je vader vindt het niet prettig dat je daar komt," was zijn volgende opmerking. Met een ruk trok ze haar hand uit de zijne.

„Heb jij daar met mijn vader over gepraat?"

„Ik voel me een beetje verantwoordelijk voor je. Je vader heeft trouwens gelijk. Zij is geen gezelschap voor jou. Zij, een boerendochter en dan getrouwd met een arbeider die bij haar eigen vader in dienst is."

„Ze zijn heel gelukkig samen," zei ze kortaf.

„Nou, dat ligt er maar aan welke eisen je stelt aan geluk. Dat hij gelukkig is kan ik begrijpen. Hij heeft heel goed uitgekeken door een boerendochter aan de haak te slaan."

Wendeline klemde haar lippen op elkaar. Als ze nu zei hoe ze over hem dacht zou het uit zijn tussen hen. En dat wilde ze ook, maar niet op dit moment. Het vage plan dat in haar opgekomen was toen ze de advertentie las, begon steeds vastere vormen aan te nemen. Maar ze kon die plannen alleen verwezenlijken als ze Harry aan het lijntje hield, hoe onsympathiek ze dat zelf ook vond.

Toen ze die avond met haar ouders in de kamer zat, zei haar vader: „Ik hoor dat je uiteindelijk een verstandig besluit hebt genomen." Ze bleef hem afwachtend aankijken.

„Met kerst verloven en in het voorjaar trouwen," vulde haar moeder aan.

Wendeline haalde diep adem. „Zo wilde hij het," zei ze langzaam.

Ze boog zich diep over haar Franse boek in de hoop dat niemand de woede in haar ogen zou zien. Ze had een aantal jaren les gehad in Frans en vooral haar vader drong erop aan dat ze regelmatig een Frans boek las. Vanavond drong echter niets van wat ze las tot haar door, zo kwaad was ze. Hoewel ze Harry min of meer had gevraagd nog te wachten, had hij het toch niet kunnen laten haar ouders van zijn plannen te vertellen. Zo zou het voor haar steeds moeilijker worden zich terug te trekken. En toch moest het. Ze wilde haar leven niet beginnen met een man van wie ze niet hield en voor wie ze bovendien geen respect had.

Ze ging die avond vroeg naar haar kamer. Ze moest een brief schrijven en wel zo gauw mogelijk. Ze ging achter haar bureautje zitten en had juist de advertentie te voorschijn gehaald toen ze haar moeder de trap hoorde opkomen.

Snel schoof ze het stukje papier onder haar vloeiblad. Lucie kwam binnen en sloot de deur zorgvuldig achter zich. Wendeline draaide haar stoel en keek haar moeder vragend aan.

„Wendeline, je wilt dit toch echt?" begon Lucie.

„Hij wilde het. Als je de laatste weken naar mij had geluisterd, dan had je geweten hoe ik over een en ander denk," zei Wendeline koel. „Vanmiddag heb ik tegen Harry gezegd dat ik bedenktijd wil. En hij maakt het op deze manier officieus."

„Als hij dit overal vertelt, kun je echt niet meer terug," weerlegde Lucie.

Haar dochter antwoordde niet, maar draaide haar moeder demonstratief de rug toe. Lucie stond daar nog even te aarzelen, leek iets te willen zeggen, maar zag er toch van af.

Wendeline hoorde haar de trap afgaan en ze stond op en draaide de deur op slot.

Lucie, halverwege de trap, bleef even luisterend staan. Ze had ineens het gevoel dat haar dochter haar met deze handeling radicaal buiten haar leven sloot. Ze boog het hoofd en fluisterde: „Heer, laat dit niet gebeuren. Zij is het enige wat ik heb. Laat haar inzien dat Harry een goede keus is."

Wendeline had intussen het stukje papier weer te

voorschijn gehaald, maar ze zat nog even roerloos. In zichzelf prevelde ze: „Heer, dit kan Uw bedoeling niet zijn. Dat ik met iemand trouw voor wie ik niets voel."

Ze wist niet dat haar moeder op hetzelfde moment een gebed van enkele zinnen uitsprak, volkomen in tegenspraak met het hare.

Even later bestudeerde Wendeline de advertentie. 'Man alleen met twee kinderen, wonend in het zuiden des lands, zoekt huishoudster en gezelschap voor zijn kinderen. Niet beneden de dertig jaar. Van christelijken huize. Huwelijk niet uitgesloten.'

Het adres stond erbij. Wendeline had de atlas gepakt, het bleek een plaatsje in het zuiden van Limburg, op de grens van België en Duitsland. Zeker een dag reizen met de trein. Terwijl ze de tekst nog eens bestudeerde begon ze weer te twijfelen.

Ze had in eerste instantie gemeend dat dit een uitwijkmogelijkheid was.

Maar in de eerste plaats, wat werd er van een huishoudster verwacht? Ze had hier in huis nooit iets hoeven doen, evenmin als haar moeder trouwens.

Vervolgens stond de zin 'huwelijk niet uitgesloten' haar niet aan. Waarschijnlijk zat de man met de handen in het haar. Hij was natuurlijk weduwnaar.

Ze kon natuurlijk niet bij een man alleen gaan wonen, dat zou veel aanleiding geven tot geroddel. Ze had echter geld van zichzelf, ze zou tijdelijk in een pension kunnen gaan. Of mogelijk had de betreffende persoon daar een oplossing voor uitgedacht.

Ten slotte, een huwelijk vond niet plaats van de een op de andere dag. Ze zuchtte. Het was zeker niet ideaal, maar ze wilde hier weg. Zo langzamerhand had ze het gevoel dat ze verstikt werd. Dat iedereen samenspande om haar een huwelijk te laten aangaan dat ze niet wilde. En als zijzelf uiteindelijk won, als je het zo kon noemen, zou haar leven hier toch onmogelijk worden.

Er zou over haar worden gepraat. Om over de verwijten die ze van haar ouders te horen zou krijgen maar niet te denken. Als ze de man schreef zou ze moeten liegen over haar leeftijd. Beter deed ze hem helemaal niet te schrijven hoe oud ze was.

Er was haar van jongs af aan geleerd dat ze de waarheid moest zeggen. Peinzend beet ze op haar duim. Ze kon natuurlijk eerlijk zijn, maar ze wist al bij voorbaat dat de man dan niet met haar in zee zou gaan. Ze kon ook een beetje fantaseren. Ze besloot tot het laatste.

Aan de temperatuur was te merken dat het bijna zomer was, maar de hemel was afgesloten door een egaal grijs wolkendek. Het was een groot vierkant huis, opgetrokken uit grijze stenen. Eromheen stonden bomen, de directe omgeving was licht heuvelachtig. Vlak bij het huis stond een schuur die werd gebruikt als houtzagerij. Verspreid lagen nog enkele boerderijen, maar het geheel gaf op deze sombere dag in juni toch een indruk van eenzaamheid. Twee kinderen speelden op het erf. Een wat oudere vrouw was in hun nabijheid bezig met groenten schoonmaken. Af en toe gingen haar scherpe ogen naar de kinderen, maar ze bemoeide zich niet met hen.

Het meisje Nienke was met haar vijf jaar de oudste. Hoewel het jongetje net drie was, nam hij af en toe toch duidelijk de leiding. „Ik weet wel op wie hij lijkt," mompelde de vrouw voor zich heen. Ze keek op toen een man om de hoek van het huis kwam. Onmiddellijk holden de kinderen naar hem toe. Hij praatte even met hen, liep toen door tot bij de vrouw en bleef even zwijgend bij haar staan. „Ik heb van je man begrepen dat je over twee weken definitief wilt stoppen," zei hij na een moment.

„Ik dacht wel dat hij zijn mond niet zou kunnen houden."

Hij haalde de schouders op. „Je had al eerder iets in die richting gezegd. Ik ben blij dat je man in elk geval blijft."

De vrouw zuchtte, haar ogen gingen weer naar de kinderen die om beurten in een modderplas stampten. „Natuurlijk blijft Leendert," zei ze. „Bij mij is het ook geen kwestie van niet meer willen. Het wordt me te veel. Ik krijg steeds meer last van mijn rugkwaal. Heeft de advertentie niets opgeleverd, behalve dan die ene brief?"

Hij haalde de enveloppe uit zijn zak. „Toevallig kwam deze vanmorgen. Ik heb de brief vluchtig gelezen, maar ik heb niet de indruk dat het iets wordt."

„Als je niet krijgt wat je graag wilt, moet je soms genoegen nemen met datgene wat je wel kunt krijgen," zei de vrouw wijsgerig.

De man begon te grinniken waardoor zijn gezicht er een stuk jonger uitzag. „Je weet het mooi te zeggen ,Rina. Ik zal er mijn voordeel mee doen. Maar die eerste brief, jij vond ook niet dat ik daar genoegen mee moest nemen, wel?"

„Nee, zeker niet. Dat mens stelde te veel eisen vooraf. Daarbij wilde ze ook nog een huwelijksbelofte. Ik vind dat zoiets te ver gaat."

„Ik zal deze brief nog eens grondig lezen," beloofde hij.

Hij ging naar binnen en Rina pakte de volgende wortel en begon te schrappen of ze er doorheen moest. Francis Linders zat het niet mee in het leven, was haar

mening. Alleen, met twee kinderen, terwijl hij nauwelijks dertig jaar was.

Hij kon de houtzagerij redelijk draaiende houden,
met behulp van Leendert en van zijn broer Roger. Er
verscheen een frons boven Rina's ogen toen ze aan die
broer dacht. Hij had een grote steun kunnen zijn voor
Francis, want hij was een harde werker. Jammer
genoeg stak hij alleen de handen uit de mouwen wanneer het hem uitkwam. Soms bleef hij zomaar enkele
dagen weg.

Rina had daar zo haar eigen gedachten over. Er zou
wel een vrouw in het spel zijn, of misschien meer dan
een. Roger was een bijzonder knappe vent en zijn non-
chalante charme trok veel vrouwen aan. Ze wist wel
zeker dat indertijd Lenore, Francis' vrouw, ook bijzonder van Roger gecharmeerd was. Maar Lenore was er
niet meer en Francis stond er al ruim twee jaar alleen
voor.

Zijzelf zou hem graag blijven helpen, maar ze was
de vijfenzestig al ruim gepasseerd en haar rug speelde
bij tijd en wijle flink op.

Toch was ze niet van plan Francis in de steek te laten
als het niets werd met de oproep in de krant. Maar stel
dat Francis verder wilde met degene van wie hij vanmorgen een brief had gekregen. Zou die vrouw niet
spoorslags de benen nemen als ze zag hoe afgelegen ze
hier in feite woonden?

Dit alles overdenkend hoopte Rina dat de betreffende vrouw in elk geval boven de veertig was. Dan was
het gevaar van de kant van Roger ook niet groot meer.
Ze ging er tenminste van uit dat Francis' broer met zijn
zesentwintig jaar geen tweede blik zou wagen aan een
vrouw van middelbare leeftijd.

Francis las de brief intussen voor de tweede keer.

Geachte heer,
Toen ik uw advertentie las dacht ik, laat ik het pro-
beren. Ik ben mogelijk niet zo handig in het huis-
houden, maar alles is te leren. Ik ben niet boven de
dertig, maar ook niet zoveel jonger. Misschien
vraagt u zich nu af waarom ik zelf geen gezin heb.
Degene die met me wil trouwen bevalt me niet. Ik
wil niet langer bij mijn ouders wonen. Er is een
man die me onder druk zet om met hem te trouwen
en mijn ouders doen daaraan mee. Daarom wil ik
hier weg. In uw advertentie staat onder meer
'huwelijk niet uitgesloten'. Nu, wat mij betreft is
dat wel uitgesloten. Ik zoek alleen werk, zo ver
mogelijk van mijn huidige woonplaats. Ik hoop op
een positief antwoord.
Wendeline Vreehorst.

'Wendeline'. Francis probeerde de naam een aantal keren. Het klonk aardig.

De naam was zowat het enige wat hij van haar wist.
Ze was jonger dan dertig, maar hoeveel schreef ze niet.
Ze woonde nog thuis, maar wilde daar blijkbaar zo
gauw mogelijk weg. Ze wilde niet trouwen en dat was
een hele opluchting, na de eerste brief. Daarin had de
betreffende persoon gelijk willen vastleggen welke termijn hij wilde vaststellen voordat het huwelijk plaats-
vond.

Want, gaf ze als reden, ze wilde haar goede naam
niet te grabbel gooien door bij een man te gaan wonen.
Deze Wendeline scheen daar niet eens aan te denken,
wat hem deed vermoeden dat ze toch vrij jong was en
nog niet veel van het leven wist. Echter, als ze hier zou
komen, zou hij haar vertellen dat Leendert en Rina in
hetzelfde huis woonden. Weliswaar apart, maar hij zou

die brave mensen nooit enige reden tot ergernis geven.

Hij streek de brief glad en ging achter zijn bureau zitten. Hij zou gelijk maar terugschrijven. Hij hoefde dit niet eerst met Roger te bespreken, hij zou zeker bezwaar maken. Maar zijn broer had geen twee kinderen om voor te zorgen.

Hij was zo vrij als een vogel. Daarbij, als Roger een vrouw als gezelschap wilde, hoefde hij bij wijze van spreken maar met zijn vingers te knippen.

Wendeline had het adres van Greetje op de enveloppe gezet. Haar vriendin was de enige die van haar plannen wist. Hoewel Greetje verbijsterd had gereageerd en haar in eerste instantie alles had afgeraden, wilde ze haar toch helpen.

Toen Wendeline die middag bij haar langsging zag ze de brief al op tafel liggen. Wendeline keek er even naar, schoof de enveloppe wat opzij en vroeg: „Zullen we eerst theedrinken?"

„Ben je niet nieuwsgierig?" vroeg Greetje.

„Ja. Maar ik ben ook bang dat het niets wordt. En wat moet ik dan? Nooit zal ik met Harry trouwen. Ik griezel als hij me aanraakt."

„Dat is natuurlijk niet goed," zei Greetje met kennis van zaken.

Ze dronken hun thee en Wendeline vertelde dat iedereen er inmiddels van uit leek te gaan dat zij en Harry een paar vormden.

„Hij vertelt dat links en rechts, terwijl ik hem zo had gezegd dat ik erover wilde nadenken," mopperde ze. „En weet je wat mijn vader deed? Bij het gebed aan tafel dankte hij God dat ik eindelijk mijn bestemming had gevonden. En daar klopt dùs niets van. Maar ik durfde niets te zeggen. Ik lag wakker en ik dacht, als het waar is, dat dit de weg is die ik moet gaan, dan ga ik regelrecht tegen Gods wil in. Maar toen dacht ik, het zou toch ook kunnen dat God een weduwnaar met twee kinderen op mijn weg heeft geplaatst."

Greetje keek haar twijfelend aan. „Je kunt God maar niet voor allerlei karretjes spannen. Je moet gewoon zelf kiezen en doen wat jou het beste lijkt."

Wendeline dacht dat Greetje de zaken heel wat luchtiger opvatte dan zijzelf. Ze hoopte nu maar dat de man die ze had geschreven het 'van christelijken huize' niet al te zwaar opvatte. Want haar vader zei altijd, dat ze op dat gebied nog veel moest leren.

Eindelijk opende ze de enveloppe en haalde het velletje papier eruit.

Geachte juffrouw Vreehorst,
Ik las uw brief en werd daar niet veel wijzer van. Desondanks wil ik het met u proberen. Laten we een proeftijd van twee maanden afspreken. Mocht u bang zijn voor uw goede naam dan kan ik u geruststellen. Er woont een ouder echtpaar in een deel van mijn huis.
Ik hoop dat u de kinderen iets kunt bijbrengen, zowel wat algemene kennis betreft, als op het gebied van manieren. Ik vrees dat er wat dat laatste betreft nogal een en ander aan schort. Schrijft u mij wanneer u komt. Liefst zo spoedig mogelijk.
Francis Linders.

„Hij heeft een paar halfwilde kinderen en wil mij hebben om ze te temmen," was Wendelines eerste opmerking.

„Je hebt hem vast niet geschreven dat je pas eenentwintig bent," veronderstelde Greetje.

„Leek me niet nodig. Ik kan natuurlijk proberen er

wat ouder uit te zien als ik naar hem toe ga," opperde Wendeline.

Greetje keek haar twijfelend aan. Het roodbruine haar hing zoals gewoonlijk in een vlecht op haar rug. Vele krulletjes sprongen op haar voorhoofd en rond haar wangen. Ze had kuiltjes in haar wangen als ze lachte en haar figuurtje was zonder meer kinderlijk.

„Ik zou maar gaan zoals je bent," zei ze dan. „Ik zou niet weten hoe jij ouder moet lijken."

„Mijn eer wordt daar beschermd door twee oudere mensen," merkte Wendeline op. „Zou hij werkelijk denken dat ik niet te houden ben en regelrecht in zijn bed spring?"

Greetje schoot in de lach. „Dat die gedachte zelfs maar bij je opkomt."

Wendeline stond op. „Ik mag dan geen praktijkervaring hebben, ik weet wel iets. Uit boeken, van horen zeggen, begrijp je. Ik weet wel zo'n beetje wat mannen willen. Ik heb dat meermalen gemerkt bij Harry."

Greetje ging er niet verder op in, vroeg in plaats daarvan: „Hoe ga je het nu verder regelen?"

„Ik heb jullie hulp nodig," zei Wendeline eenvoudig.

Ze schreef Francis Linders dat ze over twee weken op een vrijdag zou arriveren. Ze had echter geen idee op welke tijd dat zou zijn. Ze verwachtte niet dat hij een halve dag op het station zou wachten, maar ze ging ervan uit dat daar wel iemand zou zijn die haar de weg kon wijzen.

Ze was gewend veel te lopen, dus dat hoefde geen probleem te zijn. We krijgen een soort manwijf met haar op d'r tanden, dacht Francis toen hij dit laatste las. Hij had zijn broer nog niet over de komst van de vrouw ingelicht, evenmin als Rina en Leendert. Misschien zou hij zo schrikken als hij haar zag, dat hij haar zo snel mogelijk weer wilde terugsturen. Of mogelijk wilden de kinderen niets met haar te maken hebben.

Hun had hij evenmin iets verteld. Het drong niet tot hem door dat Rina toch wel iets vermoedde, al was het alleen maar omdat hij haar had gevraagd het huis nog eens grondig schoon te maken.

❊3❊

Wendeline had intussen veel te regelen. Temeer daar ze alles stiekem, dus in haar eentje moest doen. Om te zorgen dat niemand argwaan kreeg en vragen ging stellen moest ze tussendoor ook aandacht aan Harry besteden. En af en toe rustig zitten en borduren. Ze pakte twee grote koffers in en nam deze in één keer mee in de tilbury naar Greetje.

„Hoe kun je daar het hele land mee door sjouwen?" schrok die.

„Ik ga niet lopen. Onderweg zal er heus wel iemand zijn die me helpt," veronderstelde Wendeline tamelijk nuchter.

Toch zag ze er wel tegenop. Ze had zelden met de trein gereisd. En wat stond haar ginds te wachten? Maar het kon niet erger zijn dan hier, waar ze langzaam naar een verloving en huwelijk werd gedwongen met een man voor wie ze niets voelde.

Op een avond zat ze met haar moeder in de kamer, toen deze onverwacht vroeg: „Je bent toch wel gelukkig met Harry, is het niet?"

Wendeline zag dat haar vader zijn krant liet zakken en meeluisterde.

„Waarom vraagt u dat?" vroeg ze.

„Ik hoor je niet meer in negatieve zin over hem praten. En je lijkt me rustiger geworden."

„Misschien heb ik me in het onvermijdelijke geschikt," antwoordde ze met een schuldig gevoel.

„Dat is alleen maar verstandig," bromde haar vader, en las verder in zijn dagblad.

Wendeline keek ongemerkt naar haar moeder. Ze zou haar lange tijd niet zien. Natuurlijk zouden ze wel achter haar verblijfplaats komen, maar ze vermoedde dat haar vader zo kwaad zou zijn dat hij voorlopig niets met haar te maken wilde hebben. Ze had besloten een briefje achter te laten, waarin ze meedeelde dat ze naar het buitenland vertrok. Dat was niet helemaal een onwaarheid, want het betreffende dorp lag dicht bij de grens met Duitsland.

Toch had ze wel enige moeite met afscheid nemen van haar ouderlijk huis. Ze hield van het huis en de tuin en vooral van de landelijke omgeving.

Ze had begrepen dat de plaats waar ze naartoe ging in een heuvelachtig gebied lag, maar ze kon zich daar weinig bij voorstellen.

Er kwam een morgen dat haar beide ouders weg waren en toen besloot ze te vertrekken. Ze had pas voor de volgende dag afgesproken, maar ze kon altijd in een hotel overnachten. Ze nam luchtig afscheid van haar vader en moeder en zwaaide hen na. Zij zouden pas 's avonds terugkeren in de verwachting dat zij hier dan zou zijn.

Harry zou vanmiddag langskomen, ze kon beter maken dat ze wegkwam. Stel dat hij zijn plannen wijzigde en eerder voor haar neus stond. Ze ging naar haar kamer en pakte snel nog een aantal zaken in een rieten koffertje. Ze realiseerde zich dat ze inderdaad veel te dragen zou hebben. Nu eerst maar eens zorgen dat ze bij Greetje kwam en dan liefst zonder dat het halve dorp haar zag gaan. Arnout zou haar tussen de middag naar het dichtstbijzijnde station brengen. Ze liep nog een keer het huis door, nam in een opwelling het portret van haar ouders mee dat op de schoorsteen stond.

Het leek ineens een lege plek en ze verschikte een en

ander zodat het minder opviel. Op haar eigen kamer liet ze een briefje achter.

Even later verliet ze het huis en liep snel de weg op. Het was een koele bewolkte dag en dat kwam haar wel goed uit. Om niet meer te hoeven dragen had ze een en ander over elkaar aangetrokken, zodat ze al snel liep te puffen. Ze leek daardoor forser dan ze was. Ze had haar haren in een stevige knot gedraaid en droeg een beetje een ouwelijk hoedje.

Bij Greetjes huis zag ze de kleine huifkar al staan. Arnout had beloofd deze te lenen van Greetjes vader en het was hem dus gelukt. Wendeline wist niet welk smoesje hij gebruikt had, maar Arnout had haar verzekerd dat hij in elk geval de waarheid niet zou vertellen.

Greetje opende de deur voor ze kon kloppen. „Nou, je lijkt zo'n drie jaar ouder dan je bent," waren de eerste woorden van haar vriendin.

„Meer kon ik er niet van maken," antwoordde Wendeline.

Toen verscheen Arnout in de deuropening. „Nemen jullie afscheid? Er is niet veel tijd," zei hij kortaf.

De meisjes omhelsden elkaar wat verlegen. Greetje fluisterde: „Ik hoop zo dat alles goed gaat. Laat eens wat van je horen."

„Jij ook. Over hoe het hier gaat. Over mijn ouders en…"

„Ik kan je nu al wel vertellen dat die in grote ongerustheid zullen verkeren," verklaarde Arnout nors.

Greetje wierp hem een blik toe die zoveel betekende als: zeg dat nou niet.

Toen zei ze: „Mijn grootmoeder zei altijd: 'Ga met God.' Iets beters weet ik niet te zeggen."

„Iets beters is er ook niet," reageerde Wendeline met een brok in haar keel.

Ze klom op de kar, Arnout klakte met zijn tong, waarop het paard in beweging kwam, ze zwegen tot ze buiten het dorp waren, toen zei ze: „Je bent het hier niet mee eens, wel?"

„Ik kan hier grote moeilijkheden door krijgen. Het is dat Greetje zo aandrong, anders had ik er zeker niet aan meegewerkt," gaf hij toe.

„Zelf ben je toch ook getrouwd met wie je wilde?" weerlegde ze.

Hij keek haar aan. „Je gaat toch niet weg om iemand te trouwen van wie je houdt?"

„Nee. Ik ga weg om niet gedwongen te worden te trouwen met iemand van wie ik niet houd."

Hij knikte peinzend. „Tja, dat is ook een reden."

Na een moment zei hij vriendelijker: „Van mij zal niemand iets horen. Heb je geld genoeg voor een trein-kaartje?"

Ze antwoordde bevestigend, vertelde dat ze ook haar spaarbankboekje bij zich had. Ze had echter geen geld willen opnemen bij het plaatselijke postkantoor. „Alles wordt altijd bekend in het dorp," zuchtte ze.

Hij knikte. „Je kunt wel aannemen dat deze weglo-perij voor niemand geheim blijft. Ze zullen je heus wel weten te vinden. Die Harry zal weten hoe hij iets der-gelijks moet aanpakken."

En toen hij haar verschrikte blik zag: „O, misschien niet volgende week al. Het kan best even duren, ze zul-len eerst afwachten of je niet met hangende pootjes terugkomt. Het kan natuurlijk ook zijn dat hij diep beledigd is en totaal geen stappen onderneemt. Persoonlijk ben ik van mening, als een vrouw niet wil dan moet je niet verder aandringen."

„Greetje wilde wel," zei ze plagend.

Hij knikte met een lachje, zei toen: „Nogmaals, ik

weet niet of dit de goede manier is. Maar een huwelijk
slaagt alleen als beide mensen van elkaar houden.
Gelukkig zagen Greetjes ouders dat op tijd in, hoewel
haar vader nog steeds enige moeite met me heeft."

Arnout bracht haar tot in de trein en legde beide
koffers in het bagagenet.

„Je zult straks hulp nodig hebben," zei hij nog.

„Maak je niet ongerust. Ik red het wel."

„Goed dan. Succes en veel geluk."

Ze namen met een handdruk afscheid.

Een vrouw alleen is vragen om moeilijkheden, dacht
Arnout bij zichzelf toen hij het perron afliep. Hij zou
nooit toestaan dat Greetje zoiets deed.

Gelukkig wist Wendeline niets van zijn gedachten.

De trein stopte met een ruk na haar tocht door het heuvelachtige gebied van Zuid-Limburg. Wendeline stapte uit en bedankte de man die haar koffers op het perron zette. Met een korte groet ging hij terug naar zijn
plaats en Wendeline keek om zich heen. Er stapten
slechts enkele mensen uit op het smalle perron. Ze was
overigens nog niet op de plaats van bestemming. Het
was te hopen dat er een taxi te krijgen was. Het was
maar een gehucht waar ze heen moest.

Ze wenkte een kruier. Na enkele keren overstappen
wist ze dat deze mensen zeer welwillend waren, zeker
na de flinke fooi die ze hun gaf.

Terwijl de man haar koffers op zijn wagen laadde
zette de trein zich weer in beweging, onder het uitbla-
zen van een enorme wolk stoom. Het geluid van de
stoomfluit klonk doordringend in de stille avond.

„Waar moet u naartoe?" vroeg de kruier toen hij zich
weer verstaanbaar kon maken. Ze noemde hem de
plaats en hij fronste.

„Dat is een gehucht vlak aan de grens. Hoe wilt ge daar komen?"

„Ik heb aan een taxi gedacht."

„Tja, dat is waarschijnlijk de enige manier."

Hij keek of hij een taxi nou niet direct een geschikt vervoermiddel vond.

„Als de taxi die we hier hebben niet al weg is. Ik zag zojuist de burgemeester uit de trein stappen en ge weet, dergelijke mensen hebben vaak voorrang. Maar we zullen eens kijken."

Voor het station bleek de taxistandplaats echter leeg. De burgemeester wordt dus in elk geval comfortabel thuisgebracht, dacht ze geprikkeld.

Het was toch overal hetzelfde.

„Wat nu?" vroeg de man niet onvriendelijk.

„Kan ik wachten tot de taxi terugkomt?" vroeg Wendeline.

„Dat zoudt ge kunnen doen. Maar de volgende trein komt pas over twee uur en eerder komt de taxi niet terug, want voor die tijd is er niets te vervoeren."

„Ik zou kunnen gaan lopen," opperde ze.

„Lopen? En dat met uw bagage? In de avond, helemaal alleen…?"

Wendeline kreeg het gevoel dat hij haar tamelijk onnozel vond.

De man keek om zich heen en liep toen onverwacht naar een boerenkar, waarop een jongen zat die blijkbaar juist van plan was weg te rijden. Hij praatte even met hem en wenkte haar toen. „Deze jongeman wil je meenemen tot de boerderij waar hij zelf woont, maar niet verder. Ik schat dat het daarna nog zo'n tien minuten lopen is. De bagage kunt ge maar beter ergens in het dorp afgeven en dan later ophalen."

„Goed," nam Wendeline een besluit, „ik ga graag

mee, maar wil toch ook mijn bagage meenemen."

De jongen knikte.

Toen vroeg de man of hem opeens iets te binnen schoot: „Wat heeft een stadse juffer als u in dit afgelegen gebied te zoeken'?"

„Ik ga daar iemand helpen," antwoordde ze kortaf.

Hij fronste de wenkbrauwen, maar haar toon leek hem te waarschuwen niet verder te vragen. Hij hielp haar op de wagen en gaf het paard een klopje op de hals. „Het beste dan maar. Ik hoop dat ge vindt wat ge zoekt."

Nu, dat was een aardige wens dacht Wendeline. Alleen wist ze zelf niet wat ze precies zocht. Naast de jongen zittend hield ze zich stevig vast.

De kar hobbelde en schudde en de jongeman was zeer zwijgzaam.

En langzaam viel de avond. De omgeving vervaagde en er heerste een diepe stilte. Behalve het doffe geluid van de paardenhoeven en het geratel van de wielen was er niets te horen.

„Hoe ver is het rijden?" vroeg ze na ongeveer een kwartier.

„Nog zo ongeveer een halfuur."

Wendeline zuchtte in zichzelf. Voor ze op de plaats van bestemming kwam zou het volledig donker zijn. En ze verwachtten haar morgen pas. Nu goed, koud was het niet, als ze de nacht buiten moest doorbrengen zou ze dat wel overleven.

Al haar spieren deden zo langzamerhand pijn door het voortdurende geschok van de wagen. Ze haalde opgelucht adem toen de jongen vlak bij de weg naar een boerderij stopte. „Hier moet ik zijn," zei hij kortaf.

Hij nam niet de moeite haar de helpende hand toe te steken, toen ze met haar valies in de hand naar beneden klom.

„Kun jij de andere koffers voor mij in bewaring houden?" vroeg ze.

„Tja, het lijkt me niet verstandig ze hier in de berm te deponeren. Ik zet ze wel in de hooischuur, dan kan een van de heren Linders ze ophalen."

„Kan dat echt?" vroeg ze ten overvloede.

Hij knikte. „Ik schuif ze wel onder een stapel hooi. Als ze komen, laat ze dan naar Gerard vragen. Niet naar iemand anders."

Ze aarzelde slechts even, knikte dan. Er zat weinig anders op, hoewel ze de indruk had dat de bewaring van de koffers niet van harte ging.

„Is het voor mij nog ver?" vroeg ze toen.

„Deze weg blijven volgen en dan de tweede afslag rechts. Ik schat nog zo'n kwartiertje lopen."

Wendeline bedankte hem en ging op weg. Voor ze op de plaats van bestemming was zou het helemaal donker zijn. De kans dat iedereen sliep zat er dan wel in. Op boerderijen ging men vroeg naar bed, althans dat was zo in de streek waar zij vandaan kwam en dat zou hier wel niet anders zijn.

Boeren moesten nu eenmaal altijd vroeg op.

Ze ging er tenminste van uit dat ze op weg was naar een boerderij. Als ze nog verder nadacht sloeg de paniek toe. Zij was immers absoluut niet geschikt om op een boerenhoeve te werken. Ze kon hier beter niet bij stilstaan, want dan zou ze alle moed verliezen.

Ze passeerde de eerste zijweg en stond even stil om uit te rusten.

Het was nu inderdaad volledig donker, maar gelukkig was de maan aan de hemel verschenen. Hoewel het licht hiervan af en toe werd verduisterd door enkele wolken, was dit toch haar redding. Anders was ze vast in een sloot terechtgekomen, of erger, in een weiland met koeien. Stel je voor dat er van haar werd verwacht dat ze koeien molk, schoot het opeens met schrik door haar heen. Ze vond die grote logge dieren doodeng.

Na nog zo'n tien minuten te hebben gelopen kwam ze bij de volgende afslag. Het was een zandweg. Wendeline was al eerder tot de ontdekking gekomen dat ze niet het geschikte schoeisel droeg voor een wandeling in deze omgeving. Ze bleef echter voortlopen, terwijl allerlei gedachten door haar hoofd schoten als bladeren in de wind. Haar ouders, wat zouden zij doen nu hun inmiddels was gebleken dat hun dochter ervandoor was?

Waarschijnlijk zouden ze wel bij Arnout en Greetje zijn geweest, als mogelijke plaats waar zij zich kon schuilhouden. Haar vriendin zou niets loslaten, daar was ze zeker van. Als men haar echter samen met Arnout had gezien, wat zeer waarschijnlijk was, dan konden ze achterhalen dat hij haar naar de trein had gebracht. Ze wisten dan wel niet waarheen ze reisde, maar ook daar konden ze wel achter komen. Ze hoopte nu maar dat ze zo boos zouden zijn dat ze haar voorlopig met rust lieten.

Harry zou in elk geval diep beledigd zijn, zover kende ze hem inmiddels wel. Als hij haar ging zoeken zou dat meer zijn vanwege het feit dat hij het niet kon verkroppen dat ze hem in de steek liet, dan omdat hij haar niet kon missen.

Ineens schoot haar iets verontrustends te binnen. Wat had de jongen gezegd, de heren Linders? Er waren er dus meer dan een. Wat moest ze zich daarbij voorstellen? Vader en zoon? Neefs? Broers...? Ze kon alleen maar gissen.

Een gebouw doemde zo plotseling voor haar op dat ze abrupt stilstond.

Het was een groot vierkant huis. Er heerste een diepe stilte en binnen was alles donker. Het enige wat ze hoorde was het geritsel van de wind door de bomen die langs het pad stonden. In de verte loeide droefgeestig een koe.

Wendeline zette haar valies neer en liep wat dichter naar het huis toe. De woning had vele ramen, maar alle luiken waren gesloten. Ze dacht dat ze voor geen goud zou durven aanbellen. Ze wist niet precies hoe laat het was, maar gezien de tijd die alles had gekost, moest het al na middernacht zijn.

Ze had daarnet nu wel gemeend dat buiten slapen best te doen was, maar nu het erop aankwam moest ze er niet aan denken. Misschien moest ze maar gewoon op de stoep gaan zitten en wachten tot het licht werd.

Ze pakte haar koffer en liep om het huis heen. Aan de achterkant zag ze bij het vage maanlicht opnieuw de omtrek van een gebouw. Waarschijnlijk een schuur en als ze geluk had was de deur open. Dat was inderdaad het geval en geruisloos gleed ze naar binnen, de deur op een kier openlatend. Even bleef ze staan om haar ogen aan het duister te laten wennen.

Als dit een verblijfplaats was voor koeien en paarden zou ze weer vertrekken. Er was echter niets wat daarop wees. De geur van pasgezaagd hout overheerste. Langzamerhand begon ze ook iets te onderscheiden. De vloer lag bezaaid met houtkrullen en er stonden ook enkele grote werkbanken. Boomstammen lagen opgestapeld tegen de wanden. Ineens ontdekte ze langs de wand tegenover haar een houten bank.

Onmiddellijk ging ze zitten en legde haar benen op de bank. Hierdoor had ze echter geen steun in de rug en ze besloot even te gaan liggen. Als het licht werd zou ze verder zien.

Ze kon op dit moment nergens heen.

Ze lag echter niet echt prettig. Ze maakte haar haren los, dacht even dat ze er ouder uit wilde zien, maar liet die gedachte ook weer varen. Ze moest haar avondgebed nog bidden. Als ze ooit hulp van boven nodig had was het nu wel.

Ze vouwde haar handen, maar kwam niet verder dan: „Heer, ik ga slapen en ik weet niet hoe het verder moet."

Dan verdwenen alle verwarde gedachten en viel ze van uitputting in slaap.

Nadat Leendert die morgen zijn ontbijt van roggebrood met spek naar binnen had gewerkt, slofte hij naar de houtschuur. Er moest een lading hout worden opgeladen en weggebracht en ook zou Francis met het paard de heuvels ingaan om een aantal gekapte bomen te gaan ophalen.

Het waren forse Belgische paarden waar hij mee werkte. De dieren zetten zich schrap tegen de hellingen, de bomen met kettingen achter zich aan slepend. Hoewel de paarden het zware werk alleen deden, was dit onderdeel toch geen doen voor een man alleen. Leendert hoopte dan ook dat Roger er vandaag was om te helpen. Als hij hem zag zou hij nog eens een beroep op hem doen. In zijn hart was Roger geen kwade kerel, hij was alleen wat vrijgevochten. En de twee broers konden niet met elkaar overweg. Dat was altijd zo geweest, maar de laatste jaren leek het er niet beter op te worden. Leendert had gedacht dat het wel beter zou gaan nu Lenore er niet meer was, maar het tegendeel leek het geval.

Leendert kwam bij de schuur en verbaasde zich erover dat de deur half openstond.

Hij sloot deze achter zich en liep naar een van de grote werkbanken.

Zo Roger al had besloten vandaag te helpen, hij was er in elk geval nog niet. Francis was altijd wat later in verband met de kinderen.

Leendert vroeg zich af hoe Francis dit wilde oplossen als het meisje, Nienke, het volgend jaar naar school moest. Iemand zou het kind toch moeten brengen, hetzij met het tweewielig wagentje, of met de transportfiets, die Francis sinds kort had aangeschaft. De man liep naar de andere kant van de schuur en bleef toen abrupt stilstaan.

Hij greep zich vast aan de werkbank en haalde diep adem. Ging hij op zijn oude dag visioenen zien, of lag daar werkelijk een vrouw?

Leendert was goed katholiek en hij wist van verschijningen die sommige mensen meenden te hebben gezien. Hij had daar altijd wat sceptisch tegenover gestaan, en ook nu sprak hij zichzelf streng toe.

Deze vrouw, of eigenlijk was ze een jong meisje, was echt en ze sliep. Hij deed een stap dichterbij en bestudeerde haar. Inderdaad, een meisje en ze lag er zeer vredig bij, met de handen gevouwen en het lange roodbruine haar los tot op de grond.

Ze leek een heiligenbeeldje, vond Leendert. Voorzichtig ging hij enkele stappen achteruit tot hij opnieuw steun kon zoeken. Van enige afstand keek hij naar haar. Een heiligenbeeldje… Ja, ja… Zou zij soms iets met Roger te maken hebben? Er gingen genoeg geruchten over Roger. Maar het waren geruchten en als Francis' broer inderdaad een losbandig leven leidde, dan had Leendert daar nooit enig bewijs van gezien. Hij vroeg zich echter wel af wat hij hier nu mee aan moest.

Hij had in elk geval niet het lef om haar wakker te

maken. Hij besloot eerst maar eens te gaan overleggen. In de keuken van het grote huis was zijn vrouw Rina al aanwezig. Francis stond op het punt naar buiten te gaan en keek verbaasd naar Leendert.

Het was niet zijn gewoonte om 's morgens in de keuken te komen.

Leendert werkte al jaren bij hem en hij wist wat hem te doen stond, zonder dat hij iets hoefde te vragen. Nu bleef de man echter in de deuropening staan en keek van de een naar de ander.

„Is Roger er niet?" was zijn eerste vraag.

„Ik heb hem nog niet gezien, maar ik ga ervan uit dat hij zo komt."

Francis bleef hem afwachtend aankijken. Er was duidelijk iets wat Leendert dwarszat, maar Francis wist dat hij de man niet moest haasten.

Nu was er echter van breedsprakigheid geen sprake, want Leendert haalde diep adem en zei dan plompverloren: „Er ligt een meisje in de schuur."

„Hoe bedoel je? Liggen? Is ze gewond?"

„Zo te zien niet. Ze lijkt te slapen. Ik dacht even… ze leek wel een heilige… ze…"

„Nou, dat lijkt me buitengewoon onwaarschijnlijk. Dat wij bezoek zouden krijgen van een heilige."

Francis liep naar de deur en Leendert volgde hem haastig. Hij wilde absoluut bij deze confrontatie aanwezig zijn.

Francis beende met lange stappen voor hem uit. Ook in zijn hoofd kwam de gedachte op dat Roger iets had uitgehaald. Bijvoorbeeld een meisje dat kwam vertellen dat ze zwanger was van zijn broer. Gezien de geruchten die over Roger de ronde deden en datgene wat hij zelf van zijn broer wist, zou iets dergelijks niet denkbeeldig zijn.

Hij stapte de schuur binnen met Leendert op zijn hielen. Even knipperde hij met zijn ogen. De brede baan zonlicht die door een der hoge ramen naar binnen viel, leek weerkaatst te worden door de houtkrullen op de vloer. Daar zag hij haar zitten. Een keurige jonge vrouw, tamelijk omvangrijk, donker gekleed met op haar hoofd een belachelijk hoedje.

Leendert begon zich af te vragen of hij daarnet toch een visioen had gezien. Deze figuur leek niet meer op het meisje met het loshangende haar dat met gevouwen handen had liggen slapen. Ze stond nu op en stak haar hand uit. „Ik ben Wendeline Vreehorst."

Francis drukte haar hand en Leendert deed hetzelfde, zich afvragend of Francis dan toch wist wie ze was. Voorzover hij kon nagaan kwam Francis echter nauwelijks de deur uit. Hoe kon hij dan een vrouw kennen zoals deze, niet uit het dorp...

„Wat doe je hier?" vroeg Francis nu.

„Ik had immers geschreven dat ik vandaag zou komen. Gisteren kwam echter beter uit. Ik kwam gisteravond laat aan en toen leek het me verstandiger jullie niet wakker te maken."

„Goed. Ga mee naar binnen. Ga jij vast het paard inspannen, Leendert. Als je naar de heuvels rijdt, kom ik er ook zo aan."

Leendert keek hen even na. Wie was zij? Een familielid? Voorzover hij wist hadden de beide broers geen familie, en zeker geen verwanten die hen met een bezoek zouden vereren. Toen herinnerde hij zich dat Rina iets had gezegd over een advertentie en enkele brieven die daarop waren gekomen. Had ze 't over een huishoudster gehad? Het zou kunnen, maar Leendert kon het zich niet meer precies herinneren. En dat lag niet aan zijn geheugen.

Leendert wist heel goed dat hij de neiging had aan andere dingen te denken als Rina op haar praatstoel zat. Het was in zijn ogen meestal niet zo belangrijk wat zijn vrouw te berde bracht. Leendert zuchtte in zichzelf. Hij kon Rina er dus niet naar vragen, want dan zou ze zeggen dat hij weer niet had geluisterd. Waarop zou volgen dat hij nooit luisterde. Hij kon haar moeilijk zeggen dat haar stem soms een soort achtergrondmuziek was.

Zoals in de kerk als de pastoor de mis opdroeg in het Latijn en hij intussen berekende hoeveel bomen de volgende dag versleept moesten worden. Ja, de bomen, hij zou maar eens aan het werk gaan. Hij was laat.

Dat kwam door dat meisje en Leendert was er niet gerust op. Het zou weleens kunnen dat hun leven ingrijpend zou veranderen. Ze had een koffer bij zich, wat erop wees dat ze niet van plan was vandaag nog terug te gaan. Leendert voelde zich een beetje onzeker over de hele situatie. Hij hield niet van veranderingen. Maar zij kon niet de bedoelde huishoudster zijn, daarvoor was ze te jong. Die hoed maakte haar dan misschien wat ouder, maar toen hij haar slapend had gevonden leek ze weinig meer dan een kind.

Leendert slofte naar de stal om het paard te gaan halen. Natuurlijk was Roger weer nergens te zien. Aan een kant was Leendert daar blij om, want als hij hier de gebeurtenissen had meegemaakt zou hij zich ongetwijfeld met dat meisje gaan bemoeien. En als Roger zich met vrouwen bemoeide dan hadden de betreffende vrouwen nergens anders meer oog voor dan voor hem. Leendert kon zich absoluut niet voorstellen hoe het was als een vrouw zo volledig onder je invloed raakte. Maar dat er veel narigheid van kon komen, dat was in het verleden gebleken.

❋4❋

Francis liep intussen zo snel naar huis terug dat Wendeline hem nauwelijks kon bijhouden. Haar voeten deden nog pijn van de vorige dag. Hij ging haar voor, via de achterdeur het huis binnen. De keukendeur stond open en Wendeline zag een oudere vrouw en twee kinderen aan tafel zitten.

De man liep echter verder, opende een andere deur en sloot deze zorgvuldig achter hen. „Ga zitten," was het eerste wat hij zei.

Hij nam een diepe leunstoel tegenover haar en keek haar even zwijgend aan.

Wendeline zag een lange man met een slordige bos bruin krullend haar en bruingroene ogen. Hij had een prettige stem en een vriendelijke oogopslag.

Gek genoeg moest ze ineens denken aan de advertentie, 'huwelijk niet uitgesloten'. Was dit geen man die op een andere wijze een vrouw kon vinden? Maar goed, dit was niet aan de orde.

„Ik had me jou heel anders voorgesteld," zei de man langzaam.

Ze richtte haar heldere groene ogen op hem. „Hoe dan wel?" Deze rechtstreekse vraag leek hem even van zijn stuk te brengen.

„Nou, om te beginnen lijk je me erg jong."

Wendeline besloot op hetzelfde moment om eerlijk te zijn. „Ik ben eenentwintig. Zoals ik u al schreef, ik wilde thuis weg. Als ik mijn werk goed doe is mijn leeftijd niet van belang."

Daar was weinig tegenin te brengen. „Ik heet

Francis. En zo wil ik ook genoemd worden," zei hij snel.

Ze knikte, ging moeiteloos over op 'jij'. „Ik acht me zeker in staat om je kinderen manieren bij te brengen. Zelf heb ik een aantal jaren een kindermeisje gehad. Zij heeft mij alles bijgebracht, onder andere ook de Franse taal."

„Je moet uit een rijke familie komen," zei hij.

„Ja, zo worden wij wel gezien. Rijk en belangrijk. Mij heeft het nooit veel gedaan."

„Je gaat me toch niet vertellen dat je thuis bent weggelopen?"

„Ik ben verantwoordelijk voor mezelf. Zoals ik al zei, ik ben eenentwintig."

Ze zag zijn gezicht en pleitte: „Laat mij het proberen. Je schreef over een proeftijd."

Hij stond op. „Goed dan. Ik zal je aan Rina voorstellen. Wat ik je nog wilde vragen: Er wonen in deze omgeving veel katholieken met wie wij op goede voet staan. Zelf zijn we protestant. Ik hoop dat je niet vijandig bent."

„Ik ben protestants christelijk opgevoed. Met andere kerken kwam ik nooit in aanraking."

Hij keek haar even peinzend aan. „Er zijn nog steeds mensen die denken dat ze de katholieken moeten bekeren."

Ze schoot in de lach. „Nu, daar hoef je bij mij niet bang voor te zijn. Volgens mijn vader ben ik een gelovig lichtgewicht."

Op dat moment werd de deur geopend en kwam Roger binnen. Wendeline kwam snel overeind. Francis zag haar ogen en zuchtte in zichzelf.

„Ik hoorde van Leendert dat hij een vrouw in de schuur vond. Dat moet jij zijn."

57

Hij keek haar doordringend aan en Wendeline vreesde dat hij haar hart kon horen bonzen. Zijn bijna zwarte ogen leken haar vast te houden en ze voelde haar
gezicht warm worden.

„Is het waar dat zij hier bij ons komt wonen?" vroeg
Roger aan zijn broer, zonder zijn blik van Wendeline af
te wenden.

„Niet bij ons, maar bij mij," verbeterde Francis. „Ze
komt in hoofdzaak voor de kinderen."

Zijn broer deed nu enkele stappen dichterbij en
vroeg: „Waarom zet je die bespottelijke hoed niet af?"

Wendeline dacht eraan hoe snel ze haar haren onder
de hoed had gefrommeld en week achteruit. Hij strekte zijn arm uit en gaf met zijn pink een tikje tegen de
hoed. Deze gleed af waarop haar haren omlaag zakten.

De beide mannen staarden haar aan.

Wat ze zagen was een fijn gezichtje met sproeten en
heldergroene ogen.

Daaromheen een waterval van roodbruin springerig
haar.

„Hoe oud ben je eigenlijk? Zestien?" vroeg Roger.

„Ik heb je broer gezegd hoe oud ik ben. Als ik het
goed heb begrepen is hij degene voor wie ik werk."

Francis gaf haar een stilzwijgend applaus. Ze liet
zich gelukkig niet onmiddellijk overdonderen door zijn
charismatische broer.

Vriendelijk zei hij: „Ik zal je naar Rina brengen.
Geef je jas maar hier."

Terwijl Wendeline met hem meeliep voelde ze dat
de ander haar nakeek.

Ze wierp hem een koele blik toe. Hij moest niet denken… Dat haar hart zo bonsde en dat ze een kleur had,
dat kwam alleen doordat alles hier zo vreemd voor haar
was.

„Zo Rina, deze jongedame gaat ons de komende tijd helpen."

De oudere vrouw die wat gebogen bij de tafel stond, strekte haar rug en keek Wendeline aan. „Is zij niet erg jong?" was de verwachte vraag.

„Dat wordt met de tijd alleen maar beter," zei Francis rustig. „Voor de kinderen is het een voordeel dat ze wat jonger is. Wel Rina, als jij haar een en ander wilt vertellen over de gang van zaken hier... Je hebt de hele dag, want we blijven tot de avond boven."

Hij keek nog even vluchtig naar Wendeline, gaf de kinderen een aai over het hoofd en verdween toen.

Wendeline keek naar de twee kinderen die haar zwijgend en duidelijk wantrouwend opnamen. Ze vroeg zich af of ze ooit andere personen zagen dan degenen die hier woonden.

„Ga zitten. Heb je al iets te eten gehad?" vroeg Rina.

Wendeline schudde het hoofd en ontdekte dat ze honger had. Ze had de vorige dag ook haast niets gegeten.

„Ik ben dus Rina," zei de vrouw. „Samen met mijn man Leendert woon ik in een afgescheiden deel van dit huis. Heeft Francis gezegd aan welke kant van het huis jij een kamer krijgt?"

Wendeline schudde het hoofd.

„Dat horen we dan nog wel. Francis Linders woont hier dus met zijn twee kinderen. Samen met zijn broer heeft hij een houtzagerij."

„Woont zijn broer hier ook?" vroeg Wendeline.

De vrouw keek haar even aan, maar antwoordde hier niet op. Ze schoof enkele boterhammen op een plankje naar haar toe, alsmede een schaaltje boter met roggebrood en spek.

Wendeline keek naar het laatste en wist dat ze dit in

elk geval niet door haar keel zou kunnen krijgen.

„Lust je 't niet?" vroeg Rina even later.

„Ik ben dit niet gewend," antwoordde Wendeline.

„Wij moeten altijd alles opeten," liet het meisje zich horen.

„Dit is Nienke, zij is vijf jaar. Haar broertje Raoul is twee jaar jonger," zei Rina.

De twee kinderen keken haar met hun donkere ogen aan zonder te glimlachen.

„Ze houden niet van vreemden," meende Rina te moeten verduidelijken.

„Is Francis, hun vader, al lang weduwnaar?" vroeg Wendeline.

Er kwam niet direct antwoord en ze keek op. De vrouw had zich omgedraaid en vulde een ketel water waarvoor ze een pomp gebruikte die op de stenen aanrecht stond. „Ik zet water op voor koffie," zei ze. „Dat moet straks naar de mannen worden gebracht. Dat kun jij wel doen."

„Ik heb geen idee waar ze zijn," protesteerde Wendeline.

„Je kunt Nienke meenemen."

Het klonk zo stellig dat Wendeline begreep dat weigeren niet zou worden geaccepteerd. „Ik wil me graag eerst verkleden," zei ze.

De vrouw knikte. „Trek iets praktisch aan. Ik geef je voorlopig een van de slaapkamers in dit gedeelte van het huis. Degene die het dichtst bij die van de kinderen ligt."

Wendeline volgde haar met haar valies in de hand. Het was een eenvoudige kamer, maar alles zag er keurig uit. Het had geen zin nu te gaan vergelijken met haar vertrek thuis, waar de fluwelen overgordijnen en de kanten vitrage tot op de grond hingen.

Om van de verdere inrichting maar te zwijgen. Hier was een houten ledikant, een dito kast, alsmede een wastafel met een wasstel. Toen Rina weg was ontdeed ze zich van de zware donkere kleren. Daaronder zat een dunne lichte rok, ze had ook twee blouses over elkaar aan. Toen ze in haar onderjurk stond schoot haar te binnen dat haar overige kleren in de andere koffers zaten.

En die waren achtergebleven bij een zekere Gerard. Nou goed, dan hield ze alleen de dunne rok aan en de blouse met de wijde mouwen. Dit waren eigenlijk haar beste kleren, ze had deze niet in haar koffer willen opbergen. Maar wie lette er hier op hoe ze eruitzag?

Toen de deur opendraaide bleef ze staan, de blouse nog in de hand. Het was het meisje, Nienke.

„Je moet kloppen voor je ergens binnengaat," wees Wendeline haar terecht, met de gedachte dat ze net zo goed onmiddellijk kon beginnen het meisje een en ander bij te brengen.

„Waarom?" vroeg het kind.

„Dat is beleefd."

„Ik moet met je mee, zei Rina," zei het meisje om erop te laten volgen: „Wat gek, je bent ineens veel dunner."

Wendeline wist dat ze er nu inderdaad uitzag als een heel jong meisje, maar ze kon zich niet steeds anders voordoen dan ze was.

„Laten we naar beneden gaan," stelde ze voor. Nienke liep met haar mee. In de keuken was Rina, die haar van onder tot boven bekeek en toen zei: „Je bent vel over been."

„Zo erg is het niet," protesteerde Wendeline.

„Je kunt maar beter dat spek niet laten staan," zei Rina of ze haar niet gehoord had. „Hier is de koffie.

Voor jou is er ook een boterham bij. Heb je geen stro-hoed? Je zult veel sproeten krijgen."

„Mijn hoed zit in mijn andere koffer. Die heb ik ach-tergelaten bij een zekere Gerard, op een boerderij hier in de buurt."

Rina fronste. „Je wilt toch niet zeggen dat je andere bagage bij de Molendijks staat?"

„Ja, ik geloof dat hij zo heette."

Rina schudde het hoofd. „Je hebt wel een handig begin gemaakt, moet ik zeggen. Enfin, breng nu die koffie maar."

Wendeline ging op weg. Ze vroeg zich af wat er ver-keerd was aan het feit dat ze haar koffers bij de dichtst-bijzijnde buren had ondergebracht. Ze herinnerde zich nu dat de jongen had gezegd: „Laten de heren de koffers maar komen halen." Het had niet echt vriende-lijk geklonken.

Misschien was er wel een burenruzie. In elk geval kon zij dat niet weten.

Ze begon zich echter wel af te vragen waar ze in ver-zeild was geraakt. Ze had natuurlijk kunnen weten dat alles heel anders zou zijn dan thuis.

Maar toch, de vrij eenzame ligging van het bedrijf, het feit dat er niemand was van haar eigen leeftijd, behalve dan die broer, die leek niet zoveel ouder dan zijzelf. Maar hij was geen type waar zij zich prettig bij voelde. Gelukkig leek de andere, haar werkgever, een heel aardige man.

„Ga je haar werkelijk aannemen?" vroeg Roger. De beide broers waren op weg naar de heuvels. „Dat is al gebeurd," antwoordde Francis boven het geratel van de wielen uit.

„Hoe kom je erbij om een kind aan te nemen? En als

het dan nog een mooi kind was. Je kon dan hoop hebben dat er iets leuks uit groeide. Maar ze is rood, ze heeft sproeten en ze is te dik. Stond in de advertentie niet zoiets als, doel: huwelijk?"

Francis wierp een snelle blik op hem. Hij wist zeker dat hij Roger niets van zijn plannen had verteld. „Heeft Rina gepraat?" vroeg hij.

„Je had die krant opengeslagen op tafel liggen. Ons adres sprong direct in het oog. 'Man alleen... doel: huwelijk'.

Hij grinnikte.

„Zo stond het er niet. Ik zou trouwens willen dat jij je erbuiten hield," zei zijn broer strak. „Het is nu eenmaal zo dat vrouwen sneller reageren op een dergelijke advertentie, als ze het idee hebben dat er een huwelijk inzit. Daarnaast ben ik al drie jaar alleen."

„Ik ook en het bevalt me prima."

„Dat weet ik, Roger. Geen verplichtingen, niemand die iets van je verwacht. Zo vrij als een vogel. En als je een vrouw wilt..." Hij zweeg.

„Precies. Zal ik voor jou ook eens rondkijken? Dan hoef je misschien niet over te gaan tot dergelijke vérgaande maatregelen zoals je nu blijkbaar van plan bent."

„Jij doet niks. Ik moet van een vrouw houden eer ik haar in mijn bed wil," reageerde Francis kortaf.

Roger zei niets. Hij had soms echt met zijn broer te doen. Waarom genoot hij niet wat meer van het leven? Hij hanteerde zulke strenge normen en waarden voor zichzelf, dat alle fleur op den duur van het leven af was.

Intussen waren ze in het gebied gekomen waar veel bomen waren gekapt en de stammen lagen te wachten om vervoerd te worden. Leendert was bezig om kettingen om de stammen te leggen.

„Het mag niet," zei Francis voor hij van de wagen stapte.

„Wat niet?"

„Er zomaar als een heiden op los leven. Dat staat in de Bijbel."

„Ik geef toe dat ik niet zo bijbelvast ben als jij, maar ik herinner me koning David…"

„Dat is nou precies degene die zwaar gestraft werd," antwoordde Francis rustig.

Hij begon het paard los te maken.

„Volgens mij staat er nergens dat je geen plezier in het leven mag hebben," zei Roger nog.

„Geen plezier ten koste van anderen," weerlegde Francis.

Leendert keek naar de beide mannen. Hadden ze weer een woordenwisseling?

Het was altijd hetzelfde, de broers waren het letterlijk nergens over eens. Nu zou het wel over dat meisje gaan dat plotseling was komen opdagen. Nu, als Roger het daar niet mee eens was, dan kon hij dat begrijpen.

Een zo jonge vrouw, en dan samen met twee mannen, dat kon alleen maar problemen geven. Hij zette het paard aan, dat langzaam de helling begon af te lopen. Hij wierp in het voorbijgaan een blik op de twee mannen die zwijgend aan het werk waren gegaan. Het leek deze keer goed af te lopen. Het zou niet de eerste keer zijn dat hij die twee uit elkaar moest halen, peinsde Leendert. En voor dergelijke confrontaties werd hij toch een beetje te oud.

Het kostte Wendeline geruime tijd om de hellende weg te beklimmen.

De koffiekan was zwaar en de zon brandde op haar

hoofd. Halverwege stopte ze om een vlecht in haar haren te draaien.

Het meisje stond er zwijgend bij terwijl haar donkere ogen Wendeline nieuwsgierig opnamen.

„Breng je ook weleens alleen koffie naar je vader?" vroeg Wendeline.

„De kan is veel te zwaar voor mij alleen. Ik ga vaak met Rina mee."

Ze klommen weer zwijgend verder. Onder het lopen maakte Wendeline een paar knoopjes van haar blouse los en schoof haar mouwen omhoog.

„Blijf je bij ons?" vroeg Nienke plotseling.

„Voor een tijdje," antwoordde Wendeline.

„Waarom?" was de volgende vraag.

Wendeline zuchtte in zichzelf. Wat moest ze tegen het kind zeggen?

„Je vader wilde iemand om voor jou en je broertje te zorgen," zei ze na een moment.

„Dat hoeft niet. En volgens mij kun je dat ook niet," zei Nienke prompt.

„Ik kan het proberen," meende Wendeline.

Ze hoorde nu stemmen en Nienke begon voor haar uit te rennen. Een moment later zag ze de mannen bezig.

Ze zagen haar ook komen en gedrieën staakten ze hun werkzaamheden om naar haar te kijken. Wendeline kreeg het nog warmer dan ze 't al had.

Ze hoopte maar dat de mannen haar kleur aan de vrij hoge temperatuur zouden toeschrijven. Toen ze vlak bij hen was zette ze de mand met de koffiekan en het brood in het gras.

De mannen gingen op een boomstam zitten en leken af te wachten. „Zij komt koffie brengen," zei Nienke overbodig.

„Het is de gewoonte dat die voor ons wordt ingeschonken," merkte Roger op.

„Kunnen jullie dat zelf niet?"

Het was eruit voor ze had nagedacht.

„Kunnen wel, maar een vrouwenhand maakt dergelijke zaken net iets plezieriger."

Ze ontweek de spottende blik uit Rogers bijna zwarte ogen en haalde de wijde kommen zonder oor uit de mand. Francis pakte een kom uit haar hand.

Vriendelijk zei hij: „Laat mij maar. Ga even zitten, je bent dit niet gewend."

Ze deed wat hij zei, ging op een boomstronk zitten en wachtte af. „Zo te zien heb je 't warm," zei Roger met een blik naar haar blote hals en armen. „Dat klopt. Jij blijkbaar ook," antwoordde ze kalm.

De beide mannen hadden hun overhemd tot het middel openstaan. Roger grinnikte.

„De sproeten zullen wel tegen je aanvliegen," spotte hij.

„Hou op, Roger," verzocht Francis. Hij gaf haar een kom koffie en een boterham. Tot haar verbazing ontdekte ze dat ze trek had.

„Ben je in die halve dag dat je hier bent al vermagerd?" vroeg Roger, die niet van plan leek zich iets van zijn broer aan te trekken.

„Ik had enkele rokken over elkaar aan. Mijn koffers staan bij Molendijk."

Deze opmerking had een vreemd effect op de beide mannen. Zelfs Leenderts boterham die op weg naar zijn mond was bleef halverwege steken.

„Ik ben bang dat ze daar dan zullen moeten blijven," zei Francis.

„Hoe kon je zoiets stoms doen," klonk er hard bovenuit. Dat was Roger.

„Zoiets stoms? Hoe kon ik weten dat jullie daar niet willen komen? Als Gerard mij niet had meegenomen, zou ik hier waarschijnlijk nog niet zijn."

„Ik weet niet of dat zo'n ramp zou zijn geweest."

Opnieuw was het Roger en Wendeline stond op. Er waren tranen in haar ogen en ze wilde niet dat een van hen dat zag. Ze was nog maar net bij de bocht toen Francis haar inhaalde. „Wacht even, Nienke gaat met je mee."

Ze keek hem niet aan. Waarschijnlijk merkte hij toch dat ze van streek was. „Trek je niet te veel van Roger aan. Hij is vaak wat ruw en wat hij zei was onhebbelijk. Je bent bij mij in dienst en met hem heb je in feite weinig te maken."

Ze bleef gewoon doorlopen en hij bleef achter. Pas toen ze hem niet meer zag bleef ze op Nienke wachten.

Het meisje keek haar even aan voor ze zei: „Je vindt hen niet aardig, hè?"

Wendeline antwoordde niet. Opnieuw vroeg ze zich af waar ze in terecht was gekomen. Stiekem had ze toch gehoopt dat ze met open armen zou worden ontvangen. Maar ze leken niet goed te weten wat ze met haar aan moesten, terwijl de ene broer geneigd leek haar voortdurend de voet dwars te zetten.

De mannen zaten even zwijgend bij elkaar. Toen zei Leendert: „Ik weet niet wat je plannen zijn met dit meisje, Francis. Maar ze lijkt me voor alles te jong."

„Ik heb geen plannen. Ik zoek hulp omdat jouw vrouw het niet meer volhoudt en dat meisje was de enige die kwam opdagen. Ik vind dat we haar in elk geval behoorlijk kunnen behandelen."

„Heb je haar handen gezien?" vroeg Roger. En op Francis' verbaasde blik: „Die fijne vingertjes hebben nooit iets anders vastgehouden dan een borduurnaald,

vrees ik. Het zou best kunnen dat we vandaag of morgen een woedende, zeer invloedrijke pa op ons erf krijgen."

„Zonder dat zullen er toch wel problemen komen,"
veronderstelde Leendert somber.

Francis zei niets. In zijn hart hoopte hij dat de beide
mannen het bij 't verkeerde eind hadden. Want toen hij
Wendeline had zien aankomen had hij gek genoeg aan
een zonnestraal moeten denken. De warme roodbruine
kleur van haar haren leek licht te geven. Hij had zijn
ogen niet van haar kunnen losmaken. En het was heel
lang geleden dat een meisje hem op die manier had
vertederd.

Enkele weken waren voorbijgegaan. Het was inmiddels
augustus en Wendeline begon langzaam aan haar veranderde leven te wennen. Maar om nu te zeggen dat ze
er ook van overtuigd was een goede keus te hebben
gemaakt zou overdreven zijn. Ze was er niet zeker van
of ze weer op dezelfde manier zou handelen als ze er
opnieuw voorstond. Nu ze wat afstand had genomen
leek alles anders, gemakkelijker. Ze begon zich nu af te
vragen waarom ze niet gewoon had geweigerd nog verder met Harry om te gaan. Natuurlijk, ze onderschatte
de storm niet die dan over haar heen zou zijn gekomen.
Woordenwisselingen met haar ouders, geroddel in het
dorp en een diep beledigde Harry. Maar waarom zou ze
dit alles niet hebben kunnen verdragen?

Ze was sterker dan ze had gedacht, dat was haar de
laatste tijd gebleken.

Ze kon zich hier, onder de veranderde omstandigheden, redelijk handhaven.

Daarbij ging het niet alleen om huishoudelijk werk,
dat ze nooit bij de hand had gehad.

Rina was er iedere dag en Wendeline leerde snel. Als ze op haar knieën de keukenvloer dweilde vroeg ze zich weleens af wat Lucie zou zeggen als ze haar dochter zo bezig zou zien.

Zonder echt heimwee te hebben dacht ze toch vaak aan haar ouders en aan haar vroegere omgeving. Soms verlangde ze naar de zonnige tuin. Naar een dromerige zomermiddag met een romantisch boek op een zonnig plekje. Van Greetje had ze een brief ontvangen. Er stond onder andere in dat Wendelines vader Arnout had aangesproken, maar dat deze in eerste instantie had geweigerd opening van zaken te geven.

Nu leek het er echter op, dat Arnouts werkgever, Greetjes vader, onder druk werd gezet. Paul Vreehorst zou de man hebben gevraagd Arnout te ontslaan als hij niet wilde vertellen waar zijn dochter zich bevond. Hoewel Greetjes vader dit eerst had geweigerd, wist Wendeline heel goed dat haar vader veel invloed had. Greetje maakte zich zorgen en Wendeline moest begrijpen dat als ze uiteindelijk haar adres zouden geven, ze gewoon niet anders konden. Wendeline begreep het dilemma waarin Greetje en haar man terecht waren gekomen. Ze maakte zich kwaad op haar vader en had al overwogen haar ouders zelf een brief te schrijven met haar adres. Ze had dit echter nog steeds uitgesteld.

Er was hier genoeg te doen om haar afleiding te bezorgen. De kinderen vroegen veel tijd en aandacht. Ze wist vaak niet goed hoe hen aan te pakken. Vooral Raoul kon erg dwars en opstandig reageren.

„Ze hebben je gezag nog niet erkend," zei Francis op een keer.

„Misschien moet je hun eens duidelijk maken dat ze mij niet als voetveeg kunnen gebruiken," had ze koel geantwoord.

Dat was geweest toen Nienke haar min of meer had bevolen een boterham voor haar te maken.

Toen ze dit in orde had gemaakt, zij het met enige tegenzin, schoof het kind het bord van zich af met de opmerking: „Ik had toch gezegd met aardbeienjam. Dit is pruimen."

„Deze moet eerst op."

„Ik hoef het niet."

Nog een duw en de hele boel belandde op de grond.

Francis kwam juist binnen en beval Nienke dit direct zelf op te ruimen.

Het kind keek even naar haar vader en zijn strenge blik had tot gevolg dat ze niet durfde te weigeren. Maar Francis was er niet altijd bij en Wendeline wilde het kind ook niet te streng aanpakken. Als ze alleen gehoorzaamde omdat ze bang voor haar was, had het in Wendelines ogen weinig waarde. Voor haar vader had ze echter duidelijk ontzag.

Francis, ze wist niet zo goed wat ze van hem moest denken. Hij was zeker aardig, maar wel wat afstandelijk. Soms voelde ze zijn blik op zich rusten, maar als ze dan opkeek, wendde hij zijn ogen af.

Wendeline had al bij zichzelf uitgemaakt dat hij haar waarschijnlijk lelijk vond. Doordat ze hier veel buiten was, en er geen moeder was die haar voortdurend waarschuwde uit de zon te blijven, had ze veel sproeten gekregen. Nienke had een keer gevraagd: „Waarom heb jij al die vlekjes?"

Koeltjes had ze geantwoord: „Mijn overgrootmoeder was een luipaard."

Roger was in lachen uitgebarsten en had opgemerkt: „Van haar heb je dan zeker ook die groene kattenogen."

Roger, aan hem wilde ze al helemaal niet denken.

Zodra hij in de buurt was raakte ze van haar stuk. Ze wist heel goed dat dit kwam omdat ze onder de indruk was van zijn uiterlijk. Met Francis kon ze beter uit de voeten.

Zijn bruine ogen waren meestal vriendelijk en keken haar niet zo uitdagend aan als de zwarte van zijn broer.

❋5❋

Francis was degene geweest die uiteindelijk bij de buren haar koffers had opgehaald. Toen hij terugkwam had ze Roger horen vragen: „En ging dit zonder problemen?"

„Min of meer. Maar Gerard zei wel: 'Verstandig dat je broer niet is gekomen. Ik weet niet of ik mijn jachtgeweer dan had laten hangen.' Ik ben er niet op ingegaan want ik heb zo'n vermoeden dat hij een reden heeft voor dergelijke agressieve taal. En ik vermoed ook welke dat is."

Wendeline was weggegaan. Het was ongemanierd om mensen af te luisteren. Meestal hoorden dergelijke personen weinig goeds over zichzelf, placht haar moeder te zeggen. Ze probeerde Roger zo veel mogelijk te ontlopen en ze had de indruk dat hij hetzelfde deed. Hij woonde in een houten huis wat verder de heuvels in; ze was daar nog nooit geweest.

Op zondag, als de rest van de familie naar de kerk ging, liet Roger zich nooit zien. „Is hij een heiden?" had ze Francis een keer gevraagd, waarop deze in de lach schoot. „Niet zo dat je hem kunt bekeren. Hij weet alles van de Bijbel. Maar hij twijfelt aan het bestaan van God."

Dergelijke mensen was Wendeline nooit tegengekomen en ze huiverde bij het idee dat iemand zo kon denken. De kerkdiensten waren anders dan ze gewend was. De plaatselijke dominee leek een vriendelijke heer en een aardige herder voor zijn gemeente, tot hij op de preekstoel ging staan. Dan veranderde hij in een bulderende, schreeuwende prediker. Er was een steeds terugkerende boodschap over een toornig oordeel. Hij sprak zelden over genade en liefde, maar veel over wraak en vergelding.

Wendeline liet de woorden over zich heenkomen en meestal ook weer snel van zich afglijden. Maar toch bleef er iets hangen van somberheid en dreiging.

Toen ze op een maandagmorgen de koffie naar boven bracht maakte ze er een opmerking over. Dat vond zijn oorzaak in het feit dat Nienke die nacht schreeuwend wakker was geworden uit een angstige droom.

„Misschien is ze nog te jong om iedere zondag mee naar de kerk te gaan," meende Wendeline.

„Voor Gods woord ben je nooit te jong," antwoordde Francis.

„Het ligt misschien aan de manier waarop het gebracht wordt," hield ze vol. „Die dominee maakt iedereen bang."

„Dat hoeft niet als je geen verkeerde dingen doet," merkte Leendert op.

Hij hield zijn kom met beide handen vast en nam luidruchtig nog een slok koffie. Wendeline keek van de een naar de ander, maar wendde snel haar ogen af van Rogers blik. Lachte hij haar uit?

Op wat lijzige toon zei hij: „De dominee is Gods vertegenwoordiger op aarde. Althans, dat denkt hij zelf. Ik zou hem nog niet als vertegenwoordiger in spijkers willen hebben."

„Zo is het wel genoeg," zei Francis koel. „Die man doet zijn best, maar hij is ook maar een mens."

„Als hij zich daar zelf dan ook maar van bewust is," bromde Roger.

Wendeline stond op. Ze had spijt dat ze hierover was

begonnen. Straks kregen de broers misschien weer een van hun vele woordenwisselingen en dan was zij de oorzaak. Ze begon aan de terugweg en hief onder het lopen haar armen omhoog om haar haren op te steken. Ze wist niet dat alle drie de mannen haar nakeken. Francis met genegenheid en ook een zekere vertedering.

Hij vroeg zich soms af of een huwelijk over een aantal jaren toch niet tot de mogelijkheden behoorde. Het zou niet alleen een praktische oplossing zijn, hij mocht haar ook bijzonder graag.

Wendeline had in zijn ogen een prettig karakter. Ze was eerlijk en vriendelijk en hij zag haar graag. Natuurlijk, ze was niet zo mooi als indertijd zijn eerste vrouw, Lenore. Maar wat had haar schoonheid hem ten slotte opgeleverd, behalve veel narigheid? Ze had hem twee kinderen geschonken, maar dat was dan ook het enige positieve dat hij over haar kon bedenken. Dit meisje was zo oprecht en eenvoudig dat hij het een verademing vond haar in zijn buurt te hebben. Hij vreesde echter dat zijzelf absoluut geen rekening hield met de mogelijkheid van een huwelijk tussen hun tweeën.

Leendert zat te bedenken dat het meisje toch wel veel praatjes had. Rina had ook al gezegd, dat ze een duidelijke eigen mening had. Dat was natuurlijk niet verkeerd, maar wel als die mening van geen wijken wilde weten.

Roger keek haar met samengeknepen ogen na. Hij vond haar nog steeds niet mooi, maar hij werd wel door haar gefascineerd. Die heldergroene ogen die iedereen recht aankeken, behalve hemzelf dan. Ze ging hem uit de weg en dat intrigeerde hem. De meeste vrouwen zochten zijn gezelschap juist.

Roger kon zich niet voorstellen dat deze Wendeline

zo afstandelijk zou blijven. Zeker niet als hij al zijn charmes in de strijd wierp. Het vreemde was, hij wilde haar niet overrompelen. Hij wilde zijn succesvolle flirttactiek niet toepassen. Eigenlijk wilde hij dat ze verliefd op hem werd. Hij had het gevoel dat hijzelf daar niet ver vanaf was, al zou hij dat nooit toegeven. Hij wist namelijk zeker dat dit maar een tijdelijk verschijnsel was. Iets wat op te lossen was met een enkel vrijpartijtje met dit meisje.

Gelukkig had Wendeline er geen idee van hoe Roger over haar dacht. Ze ontweek hem zo veel mogelijk. Ze had het idee dat hij iets verkeerds, iets gevaarlijks vertegenwoordigde. En ze was er niet zeker van of ze hem zou kunnen weerstaan als ze dicht in zijn buurt was. Ze was er niet van overtuigd dat ze hem op een afstand zou kunnen houden. Hij keek haar soms aan of hij haar met zijn ogen wilde vastprikken.

De middagen bemoeide Wendeline zich zo veel mogelijk met de kinderen. Ze deed spelletjes buiten of binnen, al naargelang het weer, dat nu, eind september nog veel mooie dagen bracht. Ze bouwde een kasteel van blokken voor Raoul en probeerde Nienke de eerste beginselen van het lezen bij te brengen. Ze had daarvoor een leesplankje met losse letters. Het meisje was nog steeds wat gereserveerd en nam haar soms zeer kritisch op. Bij Raoul had ze 't idee dat ze langzaam terrein won. Hij wilde bijvoorbeeld graag dat ze hem naar bed bracht. Ze vermoedde dat dit ook te maken had met het feit dat ze hem een verhaaltje vertelde.

Op een avond kwam Francis binnen toen ze midden in zo'n vertelling was. Ze was begonnen over Klein Duimpje, maar haar eigen fantasie maakte het verhaal heel anders. Naast de enorme reus kwam er nu ook een draak in voor.

Een lieflijk elfje wist een en ander in goede banen te leiden. Wendeline was blij toen Francis na een moment de kamer uitging. Als hij daar zo stond, zijn bruine ogen op haar gericht, dan raakte ze de draad van het verhaal kwijt.

Hij stond haar echter in de deuropening van haar eigen kamer op te wachten. Uiteindelijk had ze toch de haar eerst toegewezen slaapkamer gehouden, vooral omdat het vertrek dicht bij dat van de kinderen was.

„Kan ik je spreken?" vroeg hij.

Wendeline ging op de rand van het bed zitten en keek naar hem op. Hij keek rond in het vertrek of hij dit voor het eerst zag. „Dit is waarschijnlijk heel anders dan je gewend was," begon hij.

Ze haalde de schouders op.

„Ik heb boven nog wel wat meubels en een vloerkleed, zodat je 't een beetje gezellig kunt maken. Je moet maar eens kijken."

Ze knikte. Toen zei hij: „Je had het erover dat Nienke akelig droomde vanwege de preken van de dominee. Maar je vertelt zelf Raoul ook allerlei verzinsels over griezelige sprookjesfiguren."

„Mijn verhalen lopen altijd goed af," reageerde ze kortaf.

„De dominee is ook niet alleen maar negatief."

Ze fronste. „Ik geef toe dat hij soms aan het eind zegt dat nog niet alles verloren is. Maar dat pakt zo'n kind niet op. Haar blijft bij het gebulder over oordelen en gerichten. Zelf geloof ik meer in een liefdevolle God... Je eerste vrouw, vertelde die de kinderen ook verhaaltjes?" begon ze dan abrupt over iets anders. Ze wilde hem niet zo diep in haar hart laten kijken. Ze zag zijn gezicht verstrakken.

„Toen mijn vrouw... er niet meer was... waren de

kinderen drie en één jaar oud. Te klein voor verhaaltjes."

Wendeline was het hier niet helemaal mee eens. Tenslotte was Raoul nu ook nog maar drie jaar. „Maar jijzelf dan?" drong ze aan.

„Ik vertelde hun verhalen uit de Bijbel. In tegenstelling tot wat jij schijnt te denken, lopen die ook vaak goed af."

Hij bleef haar aankijken en ze voelde haar gezicht warm worden. Onverwacht vroeg hij: „Heb je 't hier naar je zin? De proeftijd is bijna om."

Ze stond op en liep enkele passen bij hem vandaan tot ze bij het raam stond. „Ik blijf hier niet jaar na jaar... Maar een tijdje wil ik het wel volhouden."

Hij fronste. „Ik hoop niet dat je wispelturig bent."

„Ik had me nu eenmaal geen toekomst voorgesteld als huishoudster," reageerde ze koel.

„Wil je misschien terugkomen op je besluit dat mijn opmerking 'huwelijk niet uitgesloten' voor jou niet opging?"

Ze keek hem even aan, zei toen: „Ik ben juist mijn omgeving ontvlucht om een huwelijk zonder liefde te ontlopen."

Francis keek haar indringend aan en ineens dacht ze: hij is een knappe man. Misschien zou ik ooit... Maar, mijn hele leven hier doorbrengen? En Roger...

Langzaam zei Francis: „Het hoeft niet zonder liefde te zijn. Dat zou ik ook niet willen. Maar ik heb het idee dat jij en ik het heel goed zouden kunnen vinden. De kinderen raken ook steeds meer aan je gewend. Maar goed, vergeet dit voorlopig. Ik ben al blij dat je nog enige tijd wilt blijven."

De volgende dag wist ze dat laatste niet meer zo zeker. Het begon er al mee dat het regende en waaide.

De keukenvloer zat onder de modder, doordat de mannen binnen waren komen koffiedrinken. Geërgerd keek ze naar de modder op de vloer.

„Tja, je kunt hun moeilijk vragen hun laarzen uit te trekken," zei Rina die juist binnenkwam.

Leenderts vrouw kwam meestal 's morgens nog een paar uurtjes en ze zorgde ook weleens een poosje voor de kinderen. Niet omdat Wendeline het haar gevraagd had, maar Rina vond het zelf gezellig.

„Ze zouden toch op z'n minst hun voeten kunnen vegen," mopperde Wendeline nog. Ze vulde een emmer water en zette deze op de vloer met de bedoeling te gaan dweilen. Op dat moment kwam Raoul binnen en ze zag aan zijn gezicht dat hij een slecht humeur had. Hij keek haar uitdagend aan en gaf toen een forse trap tegen de emmer. Het water stroomde over de vloer en Wendeline zei hartgrondig een lelijk woord.

„Dat mag je niet zeggen," zei het kind, haar met grote onschuldige ogen aankijkend.

Ze deed enkele stappen naar hem toe en schudde hem hardhandig heen en weer. „En weet je wat jij niet mag? Nou?"

Ze zag dat zijn lip begon te trillen, maar ze had op dat moment geen medelijden. Toen tegelijk de deur opendraaide en Roger binnenkwam, inderdaad zonder zijn laarzen zelfs maar te vegen, voer ze woedend tegen hem uit. „Wat denken jullie eigenlijk wel? Ben ik hier aangesteld om jullie troep op te ruimen?"

Hij kon maar net de natte dweil ontwijken die ze in zijn richting slierde. „Eruit," schreeuwde ze.

Roger koos de veiligste weg, greep het kind en verliet snel het vertrek.

Wendeline keek naar de er onthutst uitziende Rina.

Ze wist niet hoe ze eruitzag, met loshangend haar en

boze groene ogen, tot Roger de deur weer opende en riep: „Je lijkt wel een heks."

Woedend deed ze een stap naar hem toe, maar toen hield Rina haar tegen.

„Laten we nu de boel maar opruimen. Iemand anders doet het niet, vrees ik."

Zwijgend redderden ze samen. Daarna zag de vloer er schoner uit dan ooit, zei Rina. Om te vervolgen: „Zullen we eerst maar eens een kopje koffie drinken?"

Wendeline knikte. Ze schaamde zich dat ze zo haar zelfbeheersing had verloren. „Je lijkt wel een heks," had Roger gezegd.

„Ik ben niet geschikt om dit werk te doen," zei ze toen ze aan tafel zaten, ieder met een kop koffie voor zich.

„Dat dacht ik in het begin ook," zei Rina eerlijk. „Maar ik ben op die gedachte teruggekomen. Er zijn dingen die je wel heel goed doet. Daarbij geloof ik dat Francis je graag mag. En als hij eenmaal van een vrouw houdt is hij door dik en dun trouw, dat hebben we bij Lenore gezien."

Peinzend zei Wendeline: „Ik mag hem ook. Maar dat is voor een huwelijk niet genoeg, Rina."

„Nou, het is in elk geval een begin," zei de vrouw tevreden. In haar hart zou ze graag willen dat Francis niet langer alleen was. En bij nader inzien leek Wendeline haar zeker geen slechte keus.

Enkele dagen later kwam er een taxi het erf oprijden. Dat was geen dagelijks verschijnsel in deze streek, dus de beide kinderen stoven naar buiten. Wendeline volgde hen en zag Francis uit de houtschuur komen.

Een chauffeur stapte uit en opende het portier. Wendelines hand ging naar haar keel toen ze haar vader zag uitstappen. Hulpzoekend keek ze om zich heen, of ze een plaats zocht om zich te verstoppen.

Paul Vreehorst had zijn dochter echter al gezien en hij bleef haar een moment staan opnemen, of hij er zeker van wilde zijn dat zij het was. Wendeline zag Francis ook haar richting uitkomen en bleef staan waar ze stond. Beide mannen waren gelijktijdig bij haar.

„Zo. Hier houd jij je dus al twee maanden verborgen," was het eerste wat haar vader zei. Hij keerde zich naar Francis. „Ik kan de politie inschakelen omdat u mijn minderjarige dochter in uw huis vasthoudt."

„Ik houd haar niet vast. Ze is hier uit vrije wil. Als ze met u mee wil kan ze gaan."

Francis' ogen waren op Wendeline gericht en ze wist zeker dat hij niet echt wilde dat ze vertrok. Zijzelf was er in dit ene moment dat ze haar vader terugzag van overtuigd, dat ze niet naar hem terug wilde. Hij hoort bij een leven waar ik me niet meer thuisvoel, dacht ze.

„Wat kom je doen, pa?" vroeg ze koel.

Haar vader haalde diep adem. Hij deed duidelijk moeite om zijn zelfbeheersing te bewaren. „Wat ik kom doen? Hoe denk je dat je moeder zich voelt?"

Wendeline keek naar Francis en ontmoette zijn bezorgde blik.

„Kunnen we naar binnen gaan?" vroeg ze.

Hij knikte. „Wil jij ook meegaan?" vroeg ze toen hij geen aanstalten maakte hen te volgen.

Even later zaten ze in het woonvertrek. Wendeline zag haar vader rondkijken, ze herkende die misprijzende blik. Dit maakte haar weer kwaad.

Waarom moest hij altijd zo neerbuigend doen? Toen keek Paul zijn dochter aan. „Deze onzin heeft nu lang genoeg geduurd. Ik ga ervan uit dat je met mij meegaat."

Zoiets had ze wel verwacht. Haar vaders wil was altijd wet geweest.

„Hoe heb je me gevonden?" vroeg ze om tijd te winnen.

„Hier en daar wat navraag gedaan. Er waren nogal wat tegenstrijdige verklaringen. Die vriendin van je weigerde iets te zeggen. Maar toen haar man zonder werk dreigde te raken kwam ik meer te weten."

„Arnout zonder werk?"

„Ik heb de boer waar hij werkte een beetje onder druk gezet," zei haar vader nonchalant.

„Hoe durf je zoiets te doen! Alles naar je hand zetten, zo is het altijd geweest."

Haar vader haalde de schouders op. „Dat is nu eenmaal gemakkelijker als je veel invloed hebt. Harry wilde je eigenlijk gaan halen, maar dat heb ik op aanraden van je moeder kunnen tegenhouden. Hij wil overigens nog steeds met je trouwen, dus je mag hem wel dankbaar zijn. Hoewel hij mogelijk van gedachten verandert als hij hoort hoe de situatie hier is."

„Hoe is de situatie hier dan, volgens u?" vroeg Francis langzaam.

„Ik hoef dat niet nader toe te lichten. Een jong meisje in huis bij een weduwnaar."

„Ik kan u verzekeren dat uw dochter is zoals ze hier is aangekomen," antwoordde Francis kil.

„Dat is mooi. Als het waar is. Wendeline, ga je koffers pakken."

„Ik denk er niet aan. Ik ga niet met u mee en ik trouw ook niet met Harry."

Haar vader stond op uit zijn stoel en greep haar bij de schouders.

Toen stond Francis naast hem. „Meneer, ik verzoek u mijn aanstaande vrouw los te laten."

Deze opmerking leek Paul zo van zijn stuk te brengen dat hij inderdaad losliet. Hij was heel bleek geworden.

„Wendeline, je kunt toch niet met die vent trouwen?"

„O nee? Beter met hem dan met Harry!"

„Ik geef nooit toestemming, dus je zult tot je dertigste moeten wachten," zei Paul, met de duidelijke bedoeling haar te ontmoedigen.

„U werkt er dus aan mee dat wij hier in zonde leven," zei Francis koel.

„Aha, jij bent zo'n verdraaide katholiek die alleen voor zijn plezier leeft."

„Ik ben geen verdraaide katholiek. Evenals u ben ik protestant. Hoewel ik moet toegeven dat het soms lijkt of de katholieken meer plezier in hun leven hebben."

„Je kunt echt niet met mijn dochter trouwen," zei Paul nu op ernstige toon. „Het zou nooit goed gaan. Zij komt uit een ander milieu dan uzelf. Ze is niet gewend te werken. Ze is in weelde opgevoed..."

„Ik geloof dat Wendeline redelijk normaal is gebleven, ondanks die rijke opvoeding," zei Francis stuurs.

Paul wendde zich nu tot zijn dochter. „Je kunt hier niet blijven."

„Ik ga in elk geval ook niet naar huis."

„Wat zal je moeder hier wel van zeggen?"

Haar vader keek haar aan en ze kreeg het gevoel dat hij voor 't moment verslagen was en even niet wist wat te doen.

„Als je benieuwd bent wat moeder ervan vindt, dan moet je haar eens een keer aan het woord laten," zei ze liefjes.

Op dat moment kwam Roger binnen. „Wel broertje,

ik neem niet aan dat die auto op het erf van jou is. En wie mag dat wel zijn?"

Hij deed een stap naar Paul toe en Wendeline dacht dat haar vader ineens kleiner leek. Bleek en mager, bij de forse, bruinverbrande Roger.

„Ik ben Wendelines vader," zei Paul stijfjes.

„Wel, wel heeft ons heksje een vader? Nou, je mag haar niet meenemen, want ze is hier voor ons aller plezier."

„Roger," viel zijn broer uit, duidelijk boos om deze dubbelzinnige opmerking.

Wendelines vader ging naar de deur, keek zijn dochter nog een keer aan en zei: „Ik kom terug."

Wendeline antwoordde niet, ze bleef roerloos in haar stoel zitten. Ze hoorde de auto starten en wegrijden, ving de bezorgde blik van Francis op en barstte in tranen uit.

Roger was haar vader naar buiten gevolgd.

Francis kwam naar haar toe en legde een hand op haar schouder.

„Waarom zei je dat?" vroeg ze.

Hij vroeg niet wat ze bedoelde, maar zei: „Het is iets waar ik al langer over nadenk. Ik heb daar al eerder iets over gezegd. Maar je hoeft nu nog geen beslissing te nemen. Ik wilde je vader overtroeven."

Ze knikte. „Ik weet niet of ik voldoende van je houd, Francis."

Even raakte zijn hand haar wang. „Ik heb er vertrouwen in dat het wel goedkomt."

Toen hij weg was bleef ze nog geruime tijd zitten. Er kwam nu wel erg veel op haar af. Eerst het bezoek van haar vader en dan de opmerking van Francis. Ze wist echter zeker, ze wilde niet terug naar huis en ze wilde ook niet ongetrouwd blijven. Als ze Francis weigerde zou ze hier niet kunnen blijven. Welke mogelijkheden waren er dan nog voor haar, behalve terugkeren naar haar ouders? Tegen Greetje had ze indertijd gezegd: „Misschien heeft God deze weduwnaar met zijn kinderen wel op mijn weg geplaatst."

Ze achtte Francis er zeer wel toe in staat God te bidden of Wendeline zijn vrouw mocht worden. Even verscheen het beeld van Roger op haar netvlies. Roger met zijn knappe gezicht en zijn onbeschaamde blik.

Het leek of er een trilling door haar lijf ging. Stel, dat hij haar vroeg met hem te trouwen. Dan zou ze natuurlijk nee zeggen. Met een vrijbuiter als hij was kon geen meisje gelukkig worden.

Ze was echter blij dat Francis niet op korte termijn een antwoord verwachtte.

De weken die volgden verliepen in redelijke harmonie. De winter kwam steeds dichterbij en Wendeline probeerde zich voor te stellen hoe het zou zijn om hier altijd te wonen. Als vrouw van Francis Linders.

Het idee werd steeds vertrouwder. Een enkele keer nam Francis haar mee naar een markt in de buurt. Mensen dachten dan dat ze een echtpaar waren, en zij had geen enkel bezwaar hen dat te laten denken. Francis was een aantrekkelijke man en wat haar vooral aantrok: hij luisterde als ze iets zei. Hij behandelde haar niet als een persoon die hem alleen maar lastigviel als ze iets te berde bracht. Hij wilde ook niet steeds zelf aan het woord zijn en was niet voortdurend overtuigd van zijn eigen gelijk.

Hij leek respect te hebben voor haar mening en dat was thuis tussen haar ouders wel anders geweest.

Natuurlijk waren de kinderen er ook nog. Ze voelde zich wel erg jong om moeder te zijn voor twee kleuters. Ze was echter op die twee gesteld en merkte dat ze haar aanwezigheid steeds meer gingen waarderen. Ze vond het leuk hen samen met Francis naar bed te brengen en Nienke en Raoul genoten daar duidelijk ook van.

De rest van de avond brachten ze dan samen door. Soms deden ze een spelletje, een andere keer las Francis de krant en zij een boek. Er was in het dorp een aardige bibliotheek.

Ze konden 't prima met elkaar vinden en slechts een enkele keer vroeg Wendeline zich af of dit voldoende was voor een huwelijk. Ze wist echter dat veel huwelijken op een veel wankeler basis werden gesloten.

Intussen praatte Francis nergens meer over en soms dacht ze dat hij het idee van een huwelijk tussen hen had losgelaten. Ze probeerde Roger zo veel mogelijk te ontwijken, maar het kon niet anders of ze liep hem regelmatig tegen het lijf. Steevast bezorgde hij haar hartkloppingen.

Op een regenachtige morgen besloot Wendeline op de zolder te gaan kijken, zoals Francis had voorgesteld.

De kinderen waren in de keuken met Rina, bezig met koekjes bakken. Wendeline beklom de houten trap tot ze met haar hoofd tegen het luik kwam. Ze duwde dit omhoog en hees zich op de houten vloer. Door een dakraam kwam wat licht naar binnen, maar de ruimte had veel donkere stoffige hoeken. Alleen in het midden kon ze rechtop staan. Aan de zijkanten stonden een aantal kisten, kleren hingen onder een laken.

Aarzelend liep ze erheen en schoof de stof opzij. Verbaasd keek ze naar de japonnen in glanzende stoffen en felle kleuren. Dit moesten wel kleren van Francis' overleden vrouw zijn.

Onwillekeurig keek ze langs haar eigen katoenen rok omlaag. Zo chique was zij nooit gekleed geweest, ook niet toen ze nog thuis was. Aarzelend schoof ze een felrode japon opzij. Deze had een bijzonder lage hals. Een andere in een lavendelblauwe tint liet waarschijnlijk de halve rug bloot. Het waren onfatsoenlijke jurken, besloot ze.

Ze liet de kleren even voor wat ze waren en opende één van de kisten. Er steeg een vage parfumgeur op. Ze zag enkele ragdunne hemdjes en nachtkleding, alsmede een ingelegde spiegel met borstel en kammen. Snel sloot ze de kist weer. Ze voelde zich een beetje treurig worden. Francis' vrouw was blijkbaar iemand geweest die zich graag mooi maakte. Iemand die voortdurend met haar uiterlijk bezig was.

Wat zag Francis dan in haar, Wendeline? Zij met haar roodbruine haar en sproetig gezicht en haar figuur van niks. Ze was nu niet bepaald een schoonheid. Ineens begon ze haar jurk uit te trekken en gooide deze op de vloer. Haastig zocht ze tussen de kleren, koos een groene jurk met wijde mouwen en een lage hals.

Natuurlijk was de japon haar te wijd, maar na even zoeken vond ze een zijden ceintuur die ze om haar middel bond. In de hoek van de zolder stond een grote verweerde spiegel en ze liep erheen, bekeek zichzelf kritisch. De kleur van de jurk accentueerde het groen van haar ogen. Hij stond ook mooi bij haar roodbruine haren.

Echter, een dergelijke lage hals kon zij niet dragen. Ze was daarvoor te mager, haar sleutelbeenderen staken uit. De vrouw die deze japon had gedragen moest ook veel meer bovenwijdte hebben gehad, want ook daar viel de stof ruim om haar heen.

„Het wordt nooit wat met mij," mompelde ze.

Ineens hoorde ze iemand de trap opkomen. Ze keek om zich heen als om zich te verbergen, maar Francis' hoofd verscheen al boven het luik.

Hij kwam de zolder op, knipperde met zijn ogen om aan het diffuse licht te wennen. Wendeline stond roerloos met haar rug naar de spiegel.

Ze kon zelfs in de schemer zien dat hij bleek was geworden.

„Doe dit nooit meer," zei hij hees.

„Het spijt me. Ik begrijp dat dit je te veel aan je vrouw herinnert. Ik wilde alleen… ze is vast heel mooi geweest."

Hij haalde diep adem en zei tot haar verbazing: „Ik had die rotzooi allang moeten verbranden."

„Maar het zijn prachtige jurken," zei ze.

„Ze staan jou niet."

„Nee, dat heb ik gezien. Ik ben veel te gewoontjes voor zoiets."

Ze begon de jurk uit te trekken zonder er rekening mee te houden dat ze dan in haar onderkleren stond. Ze raapte haar eigen japon op en hield die voor zich.

„Die past veel beter bij je," zei hij vriendelijk.

„Natuurlijk. Ik ben maar zo'n gewoon meisje. Het zou belachelijk staan als ik zo'n jurk zou dragen. Ik word er alleen maar lelijker door." Ze stapte in haar rok en hij legde zijn handen op haar blote schouders.

„Wat zeg je me daar? Jij lelijk? Ik vind je veel mooier dan Lenore. Jij bent zo puur, zo echt. Ik geef toe dat de meningen daarover wel verdeeld zullen zijn, maar vrouwen zoals Lenore… die trekken mij totaal niet meer."

Ze voelde de warmte van zijn handen op haar schouders en keek hem aan. Toen boog hij zijn hoofd naar haar toe en zijn mond vond de hare. Ze klemde zich aan hem vast en zo stonden ze geruime tijd.

„Laten we gaan trouwen," zei hij zacht.

Ze knikte. Het ging zo gemakkelijk… Ze hield van

hem. Ze wist wel zeker dat de gevoelens die ze voor hem koesterde, dat die heel dicht bij liefde kwamen. Bovendien wilde ze niet alleen blijven. Dus gaf ze toe.

Hij glimlachte naar haar. Ernstig zei hij: „Ik ben heel blij. Laten we het voorlopig geheimhouden. Ik wil eerst naar je ouders. We gaan samen om toestemming vragen."

Ze knikte en bleef hem aankijken waarop hij haar opnieuw naar zich toe trok. „Ik denk dat God jou naar mij toe heeft gestuurd," fluisterde hij.

Wendeline zei maar niet dat de meningen daarover waarschijnlijk ook verdeeld waren. Met name haar ouders zouden daar vast anders over denken.

Zijzelf verkoos hem gelijk te geven. En mogelijk als Francis deze stelling tegenover haar ouders staande hield, misschien zouden ze dan overstag gaan.

❋6❋

Francis verstuurde een brief aan Wendelines ouders waarin onder andere stond wanneer ze hen konden verwachten.

Het was nu bijna een halfjaar geleden dat zijzelf de trein had genomen, dacht Wendeline. Inmiddels waren ze aan een nieuw jaar begonnen en nu reisde ze samen met haar aanstaande echtgenoot. Soms schonk hij haar een warme glimlach of raakte even haar hand aan. Maar verder ging hij niet. Francis was geen type dat in het openbaar zijn gevoelens toonde.

Daarbij zagen ze elkaar zelden alleen. Als Rina niet in huis was, of Roger, dan was er altijd wel een van de kinderen in de buurt. En aangezien ze hadden besloten hun plannen voorlopig geheim te houden, zat er niets anders op dan afstand te houden. Toen ze uitstapten op het kleine station was het onvermijdelijk dat Wendeline opnieuw dacht aan de heenreis.

In haar eentje ging ze toen een onbekende toekomst tegemoet. Dat was nu bijna een halfjaar geleden. Uiteindelijk kwam er dus toch een huwelijk van.

Voor het station stond een taxi en ze stapten in en gaven het adres op.

„Kost dat niet veel geld?" fluisterde ze.

Hij glimlachte. „Ik kan het wel betalen. Echt rijk ben ik niet, maar we kunnen goed leven. Anders had ik jou nooit durven vragen."

Hij kneep even in haar hand. Wendeline zei niets. Feitelijk wist ze maar weinig van hem af. Maar denkend aan de kleren die zijn eerste vrouw had gedragen, moest hij er inderdaad niet slecht voorstaan. Niet veel mannen gaven dergelijke bedragen aan hun vrouw uit. Hij moest wel veel van Lenore hebben gehouden.

„Ik zou best wat meer over je eerste vrouw willen weten. Je praat nooit over haar," zei ze als vervolg op haar gedachten. „Zij is toch ook de moeder van je kinderen en... dan leer ik hen ook wat beter kennen."

Zijn gezicht verstrakte. „Laten we ons eerst maar richten op het bezoek aan je ouders. Mijn eerste vrouw is niet meer belangrijk. Zij is verleden tijd. Als je meer over haar weet zal dat niets aan jouw leven toevoegen."

Het klonk hard en Wendeline keek hem van opzij aan. Ze zag dat hij zijn lippen opeengeklemd had. Even later maakte hij een opmerking over het vlakke land, zo anders dan waar hijzelf woonde. Hij wilde niet over Lenore praten, dat was haar zo langzamerhand wel duidelijk. Hij had haar zelfs nooit verteld waaraan ze was overleden. Wendeline besloot haar licht eens op te steken bij Rina. Ze keek naar buiten, naar het haar bekende landschap van akkers en weiden, inderdaad heel anders dan het heuvelachtige gebied waar ze nu woonde.

Terwijl ze door het dorp reden kwamen ze langs het huis van Greetje en Arnout. „Zou je het goedvinden als we vandaag nog even langsgaan bij mijn vriendin?" vroeg ze.

„Maar natuurlijk," reageerde hij positief.

Even later stopte de chauffeur voor het ijzeren hek dat haar ouders en hun landhuis scheidde van de rest van de omgeving. Wendeline stapte uit, terwijl Francis de chauffeur betaalde.

Eenmaal binnen het hek keek ze om zich heen. Ze had deze omgeving verlaten toen het bijna zomer was.

Nu waren de bomen kaal en een gure wind blies de dorre bladeren omhoog die in een dikke laag op het pad lagen. De schommel ging zacht piepend heen en weer.

„Is die van jou geweest?" vroeg Francis.

Ze knikte. „Ik zat daar zo heerlijk beschut."

„Te dromen," begreep hij. „Het is een idee om zoiets ook bij ons te maken. Leuk voor de kinderen en misschien ook voor jou."

Hij knipoogde en ze kreeg het er warm van. Hij begreep haar en, wat meer was, hij accepteerde dat wat Harry indertijd belachelijk had gevonden.

De deur werd geopend door het dienstmeisje. „Mia, ken je me nog?" vroeg Wendeline vrolijk.

„Natuurlijk. Zoveel bent u niet veranderd."

Het meisje wierp een schichtige blik op Francis en ging hun voor naar de tuinkamer. Ze opende na geklopt te hebben de deur. Haar vader en moeder rezen tegelijk overeind.

„Goed Mia. Over tien minuten graag thee," zei Lucie toen het meisje even leek te aarzelen. „Kind, wat ben ik blij je te zien. Is alles goed met je?"

Lucie omhelsde haar dochter even, maar liet haar na een blik op haar echtgenoot snel weer los. Haar vader hield niet van uiterlijk vertoon, wist Wendeline. Hij begroette hen slechts met een knikje. Misschien was hij nog verbolgen over de ontvangst indertijd bij Francis.

Maar dat had hij aan zichzelf te wijten met zijn verdachtmakingen, dacht Wendeline. Lucie wees hun een stoel en Wendeline voelde zich een beetje belachelijk. Dit was haar ouderlijk huis en ze ging pas zitten nadat haar moeder toestemming had gegeven.

Toen zei Francis: „Om maar met de deur in huis te vallen: Ik kom u om de hand van uw dochter vragen."

„Had ik u niet reeds duidelijk gemaakt dat dit vergeefse moeite is?" vroeg Paul.

„Ik dacht dat het u misschien niet duidelijk was geworden dat het mij volledig ernst is," reageerde Francis. „Wendeline heeft erin toegestemd mijn vrouw te worden. Als u hier niet mee instemt, dan blijft ze toch bij mij wonen. U begrijpt wat dat inhoudt. U zou toch niet willen dat er over uw dochter wordt gepraat?"

„U zult dan ook over de tong gaan. Maakt dat niet uit?" vroeg Paul.

Francis haalde de schouders op. „Eigenlijk niet. Er zijn al vaker stormen over mijn hoofd gegaan."

„Ik kan niet toestaan dat mijn dochter in zonde leeft."

„Dat kan ik begrijpen. Als u toestemming geeft is er wat dat aangaat niets aan de hand. U hoeft niet per se bij ons huwelijk te zijn als u dat niet wilt. Ik heb geïnformeerd, u kunt ook schriftelijk toestemming geven."

„Wendeline is christelijk opgevoed," zei Lucie zacht.

„Ik ook, mevrouw. Wij zijn heus geen halve heidenen. We houden de zondag in ere, we bidden en danken en we gaan naar de kerk. De laatste tijd heb ik veel in de Bijbel gelezen. Maar ik heb nergens iets gevonden, geen enkele tekst waar staat dat er per se getrouwd moet worden.

Begrijp me goed, ik vind trouw aan elkaar wel belangrijk. Ik sta volledig achter een huwelijk. Een vrouw heeft meer rechten als ze getrouwd is. Ik wil dat Wendeline mijn vrouw wordt, en daarom vraag ik nogmaals uw toestemming."

„Het is allemaal zo plotseling," verzuchtte Lucie.

Op dat moment kwam Mia met de thee binnen en ze keken zwijgend naar haar handelingen. Toen ze weg was zei Lucie aarzelend: „Denk je niet dat wij ermee moeten instemmen, Paul?"

Haar man keek haar vernietigend aan. „Zet jij alle principes overboord, vrouw?"

„Ik heb de indruk dat Wendy gelukkig is," was het onverwachte antwoord.

Paul snoof, minachtend. Geluk was wel het laatste waar hij in verband met zijn dochter aan dacht. „Het moet maar," ging hij plotseling overstag.

Wendeline haalde opgelucht adem. Ze had niet gedacht dat het gemakkelijk zou gaan. Nu dit was geregeld leek Lucie wat meer ontspannen, maar haar vader leek nauwelijks de behoefte te voelen om met hen te praten.

Toen er een halfuur voorbij was gegaan, waarin Francis probeerde een gesprek te beginnen door allerlei onderwerpen aan te snijden, stond Paul plotseling op. „Ik heb nog een en ander te doen."

Hij knikte hen toe en zei stijf: „Ik zal mijn schriftelijke toestemming aan de gemeente toezenden."

Waarop hij het vertrek verliet.

Wendeline beet op haar lip. „Hij is niet van plan te komen?" zei ze zacht.

Haar moeder zuchtte. „Nee, daar hoef je niet op te rekenen. Het ergste is dat ik daardoor ook thuis moet blijven. Je weet, Wendeline, dat ik beter niet tegen zijn wensen kan ingaan."

„Wat kan u gebeuren als u op een dag de trein pakt en enkele dagen bij ons komt logeren?" vroeg Francis vriendelijk.

„Ik zal daar maar niet op ingaan," zei Lucie wat afstandelijk.

„Een huis vol herrie," begreep Francis. „Wat ik niet snap…"

Hij aarzelde even. „Ik wil niet belerend overkomen. Maar uw man zegt een christen te zijn. Hij is echter vrij hard in zijn oordeel... Ik bedoel, misschien ben ik niet de man die uw echtgenoot voor zijn dochter in gedachten had. Maar ik ben ook geen zwerver zonder vaste woon- of verblijfplaats. Evenals uw man probeer ik zo goed mogelijk te leven."

Lucie maakte een machteloos gebaar, waarmee ze wilde zeggen dat zij geen enkele invloed had op het gedrag van haar man.

„Wil je een en ander uitzoeken wat je ginds wilt hebben?" vroeg ze nu aan Wendeline. „Wat meubels uit je kamer of persoonlijke spullen. Ik zorg dan dat het met vrachtvervoer naar je toe wordt gezonden."

Wendeline stond op. „Ik kijk even boven."

„Vind je 't erg even alleen te zijn?"

Lucie was ook opgestaan.

Francis maakte een geruststellend gebaar. Misschien wilde Lucie haar dochter enige moederlijke raadgevingen meegeven, dacht hij toegeeflijk. Hij besefte dat hij door met Wendeline te trouwen in feite de weg voor haar terug naar haar ouders blokkeerde.

Vanwege de afstand zou het contact toch al minimaal zijn geweest, maar enkele keren per jaar wederzijds zou toch haalbaar zijn geweest. Zonder dat Paul het met zoveel woorden had gezegd, had Francis het gevoel dat de vader zijn dochter min of meer had afgeschreven. Hij hoopte dat Wendeline dat anders zag. Ze gaf wel veel op door met hem te trouwen. Nu was zijn eigen huis ook niet bepaald een bouwval, maar alles was toch een stuk eenvoudiger dan dit landhuis. Een huis waar dienstmeisjes thee binnenbrachten en waar de echtgenote nooit iets in het huishouden had gedaan.

Terwijl Wendeline wat kleren op het bed legde en

opschreef wat ze wilde hebben, keek Lucie zwijgend toe. Wendeline voelde zich ongemakkelijk.

Het leek of er een waas van treurigheid om haar moeder hing. „Ik heb je zo gemist," zei Lucie eindelijk zacht. „En nu ga je voorgoed weg."

„Als ik met Harry zou zijn getrouwd zou ik ook zijn weggegaan," weerlegde Wendeline.

„Ja, maar ik had me voorgesteld dat ik je dan minstens een keer per week zou zien."

Wendeline besefte dat haar moeder haar eigen dromen had gedroomd en had met haar te doen. „Nu kun je een hele week komen logeren. Je moet dat echt doorzetten, mama," drong ze aan. „De eerste keer is het moeilijkst. Dan is hij misschien kwaad, maar hij zal er wel aan wennen."

„Denk je?" vroeg Lucie ironisch. „Weet je, Wendy, soms heb ik het vermoeden dat hij ergens een vrouw heeft zitten."

„Pa? Dat meen je niet."

Lucie haalde de schouders op. „Ik geef toe dat het nogal ongeloofwaardig klinkt."

Wendeline kreeg even een visioen van haar vader, zoals hij in zijn zwarte pak in de kerkbank zat. Ze moest ook denken aan het jonge stel dat voor in de kerk schuld had moeten bekennen, omdat het meisje zwanger was geraakt. Haar vader was op een avond vertrokken om hen eens aan de tand te voelen zoals hij had gezegd. In één seconde schoot dit alles door Wendelines hoofd.

„Ik kan niet geloven dat dit waar is," zei ze. „Als ze dat in het dorp te weten zouden komen, dan kon hij maar beter verhuizen."

„Ach Wendeline, niemand durft zijn mond opendoen. Je weet toch, je vader zit in de kerkenraad, de gemeenteraad. Arnout was bijvoorbeeld bijna zonder werk geweest en dat alleen omdat je vader zijn baas, Greetjes vader, onder druk zette."

„Je moet eens wat meer tegen hem ingaan. Ik ben tenminste niet van plan mijn man de baas te laten spelen," zei Wendeline beslist.

„Francis lijkt me een goede man en ik kan zien dat hij van je houdt. Maar vergeet niet, de man is het hoofd van het gezin…"

„Als hij het hoofd is, dan ben ik de rest en dat is minstens zo belangrijk," meende Wendeline.

„Ik hoop voor je dat hij het ook zo ziet," mompelde Lucie.

Ze vertrokken zonder Paul nog gezien te hebben. Wendeline wilde nog bij Greetje langs en ze hadden nog een aantal uren nodig voor de terugreis.

Bij het afscheid zei Francis opnieuw dat Wendelines moeder altijd welkom was. Lucie hield zich goed, maar Wendeline wist wel zeker dat ze in tranen zou zijn zodra ze weg waren.

Ze besloot, dat als haar moeder geen kans zou zien haar op te zoeken, zijzelf naar haar toe zou gaan. Ze liepen het stukje naar het dorp, waar Francis het kleine postkantoor binnenging om van daaruit telefonisch een taxi te bestellen.

Wendeline ging vast naar haar vriendin. Terwijl ze het paadje opliep overviel haar weer de stank van het varkenshok.

Het huisje leek kleiner dan in haar herinnering. Zoals altijd haar gewoonte was geweest, stapte ze na een tikje op de deur naar binnen. Greetje zat bij de tafel met een naaiwerkje. Ze sprong verrast overeind. „Wendy, ben je teruggekomen?"

„Dat niet precies. Ik kom je wat vertellen."

„Wil je thee? Waarom heb je maar één keer geschreven?"

Bij deze laatste vraag kreeg Wendeline het warm. Waarom had ze maar één brief geschreven? De waarheid was dat er zoveel was dat haar in beslag had genomen dat ze nauwelijks aan haar vriendin had gedacht. En dat terwijl Greetje haar had geholpen weg te komen. En dat zij en Arnout daarbij een groot risico namen was inmiddels duidelijk geworden.

„Er gebeurde zoveel... Ik... het kwam er niet van."

Greetje wierp haar een wat sceptische blik toe. Toen vulde ze de waterketel en zette deze op het petroleumstel.

„Ik ga trouwen," zei Wendeline zacht.

Greetje draaide zich snel om. „Echt waar? Dan is het niet raar dat je geen tijd had om te schrijven. Is het die man... die weduwnaar?"

Wendeline knikte. „Hij komt zo hierheen, dan kun je met hem kennismaken."

„O lieve help."

Greetje keek in de spiegel van de kast en duwde een lok blond haar achter haar oor.

„Hij is aardig," meende Wendeline haar te moeten geruststellen.

„Ja, dat neem ik wel aan. Anders zou je toch zeker niet met hem trouwen?"

„En jij... ben je nog steeds... is het nog altijd goed tussen jullie?"

Greetje glimlachte.

„O ja. Ik heb nooit spijt gehad en ik hoop dat jij dat ook niet krijgt."

Wat later kwam Francis en hoewel Greetje duidelijk zenuwachtig was wist hij haar toch op haar gemak te stellen. Even dacht Wendeline: stel, dat ik hier met

Roger was gekomen. Dan was de sfeer heel anders geweest.

Roger zou het kamertje gevuld hebben met zijn stem, zijn lach en zijn overrompelende charme. Francis was een vriendelijke persoonlijkheid, de mensen mochten hem, dat had ze al vaak gemerkt. Terwijl Roger...

Wat bezielde haar om op dit moment aan Roger te denken?

„Hij is echt aardig," fluisterde Greetje in haar oor toen Francis al buiten stond. „Ik denk dat je een goede keus hebt gemaakt. Veel beter dan die gladde Harry."

Ze lachten naar elkaar en Wendeline beloofde nu echt te schrijven.

„Dat moet je zeker doen. Zo houd je contact met je eigen omgeving," zei Francis toen ze het hem vertelde.

Ze waren die avond laat thuis. De kinderen waren naar bed en Rina zat bij de tafel een sok te breien. Leendert zat pijprokend tegenover haar.

Francis had hem voorgesteld Rina gezelschap te houden als ze oppaste.

Ze waren hier eigenlijk bijna opa en oma voor de kinderen, dacht Wendeline. Dit in tegenstelling tot haar eigen ouders die de kinderen van Francis niet eens kenden en er ook geen prijs op stelden hen te leren kennen.

Toen de twee mensen naar hun eigen afdeling waren vertrokken zei Francis: „We vertellen het hun morgen. Eerst de kinderen en dan de rest."

„Roger ook?" vroeg Wendeline.

„Natuurlijk, waarom zouden we het hem niet vertellen? Ik wilde dat hijzelf maar eens zover was. Maar hij schijnt nog steeds geen keus te kunnen maken."

Voor ze naar haar eigen kamer ging hield hij haar even tegen zich aan en liefkoosde haar. Hij liet haar echter snel weer los. „We moeten maar gauw een trouwdatum afspreken. Ik ben alweer zo lang alleen," zei hij hees.

Lenore was alweer drie jaar dood, dacht Wendeline toen ze in bed lag.

Er waren wel mannen die al eerder een andere vrouw hadden, zeker als er zoals hier kinderen waren. Nog steeds wist ze niet waaraan Francis' vrouw was overleden.

Toen ze er de volgende morgen over begon vroeg Rina, op een toon waardoor ze zich ineens nieuwsgierig voelde: „Is dat zo belangrijk voor je?"

„Het is toch geen geheim," probeerde ze.

Maar Rina ging er niet op in en begon over iets anders.

Wendeline was toch te welopgevoed om aan te dringen. Uiteindelijk zou Francis haar vast wel inlichten.

Toen de kinderen al aan de ontbijttafel zaten te ontbijten kwam Francis binnen. Hij keek even naar Wendeline en knipoogde. „Ik heb jullie iets te vertellen. Ja, jou ook, Rina."

„Is het leuk?" vroeg Raoul.

„Ik vind van wel. Wendeline en ik gaan nog dit jaar trouwen."

Even bleef het stil, toen zei Raoul: „Wordt zij dan mijn mama?"

„Niet je echte mama," reageerde Nienke daar onmiddellijk scherp op. „Zij wordt dan je stiefmoeder."

Raoul keek met een achterdochtige blik naar Wendeline. Misschien verwachtte hij dat ze er ineens lelijk en boos zou uitzien, bedacht Wendeline. Ze had hem kortgeleden het sprookje van Sneeuwwitje verteld. Rustig zei ze: „Ik zal proberen jullie mama te zijn.

Maar jullie mogen mij gewoon Wendy blijven noemen. Pas als jullie het echt willen word ik mama."

„Krijgen jullie ook baby's?" vroeg Nienke zakelijk.

Wendeline voelde dat ze een kleur kreeg.

„Dat is iets wat we moeten afwachten," antwoordde Francis voor haar.

Francis' blik ging naar Rina, die nog steeds had gezwegen. Nu zei ze: „Ik had het wel verwacht. En Leendert in feite ook. We hadden 't er weleens over. Ik hoop dat jullie het goed krijgen samen."

Ze begon de tafel op te ruimen en Wendeline hoorde haar mompelen: „Uiteindelijk is dit de beste oplossing voor iedereen."

De oplossing, dacht Wendeline later. Was ze alleen maar een oplossing voor Francis en de kinderen? Nee, dat was het zeker niet alleen, dacht ze beslist.

Hij had gezegd dat hij van haar hield en ze geloofde hem. Zijzelf hield ook van hem. Ze nam tenminste aan dat de gevoelens die ze ten opzichte van hem had heel veel met liefde te maken hadden. Het feit dat ze blij was als ze hem zag, en dat ze graag in zijn gezelschap was, sterkte haar in die overtuiging. Als hij haar aanraakte voelde ze zeker niet de tegenzin die haar bij Harry was overvallen. Integendeel, ze voelde zich veilig en geborgen als Francis haar in zijn armen nam. Misschien zou er niet veel veranderen als ze eenmaal getrouwd waren. Behalve dat ze in hetzelfde bed zouden slapen. En daarvan had Greetje gezegd dat het bijzonder was, als je van elkaar hield.

Die middag was ze met de kinderen in de kamer. De laatste tijd werd er niet veel buiten gespeeld. Het was inmiddels januari, het weer was vaak somber en guur, hoewel het nog maar weinig had gevroren. Raoul was aan het bouwen met houten blokken. Ze had hem een eind op weg geholpen en nu was hij in zijn spel verdiept. En zoals elke middag oefende ze met Nienke het lezen.

Het meisje zou in april naar school gaan. Wendeline wist dat Nienke verder was dan de meeste kinderen van haar leeftijd. Maar het was natuurlijk de vraag of ze die voorsprong zou behouden.

Toen de deur openging en Roger binnenkwam hield ze een moment haar adem in.

Francis' broer kwam nooit zomaar binnen en ze zag aan zijn bijna zwarte ogen dat hij woedend was. „Zo, ben je moedertje aan het spelen?" was zijn eerste sarcastische opmerking.

„Op Francis' verzoek houd ik me met de kinderen bezig. Daarvoor ben ik aangenomen," zei ze koel.

„Gaan jullie even naar buiten," beval Roger de twee kinderen. Ze keken even naar hem en gleden toen gelijktijdig van hun stoel af. Zonder een woord van protest verlieten ze de kamer.

„Wat geeft je het recht om…" begon Wendeline verontwaardigd.

„Houd je mond," viel hij uit. „Wat bezielt jou om met Francis te willen trouwen?"

„Hoewel je er niets mee te maken hebt, we houden van elkaar," zei ze dapper.

Hij kwam naar haar toe en trok haar onverhoeds overeind uit haar stoel.

„Wat weet jij nou van liefde? Je bent zo groen als gras."

„Jij bent…" begon ze. Maar hij trok haar naar zich toe en drukte zijn lippen op de hare. Wendeline kon niet loskomen, maar het ergste was dat ze dat ook niet echt wilde. Ze was pas vrij toen Roger haar losliet.

Ze keek in zijn spottende ogen en hijgde: „Hoe durf

101

je? Als Francis dit te weten komt..."

„Maar dat zul je hem niet vertellen, wel? Ik wed dat hij je nooit zo gekust heeft."

Ze zweeg, want in haar hart moest ze hem gelijk geven. Francis was teder en vriendelijk, maar door een zoen van hem was ze nooit zo van streek geraakt als nu het geval was. „Ga weg," zei ze toen ze haar stem weer enigszins onder controle had. „Je gedraagt je onbeschoft."

„En wat nu?" vroeg hij of ze niets had gezegd.

„Wat nu? Niks... Ik trouw in maart met Francis."

„Ga je al dat temperament van je verspillen aan een saai huwelijk met mijn broer?"

„Ik houd van hem en van zijn kinderen," zei ze zo waardig mogelijk. „En nu voor de tweede keer, ga weg, of ik roep om hulp."

Even keek hij haar nog doordringend aan, toen ging hij de deur uit. Wendeline zakte bevend op een stoel neer. Ze haalde enkele malen diep adem om zichzelf weer enigszins in bedwang te krijgen. Ze moest hem ontlopen, want hij was gevaarlijk. Gevaarlijk vooral voor haar gemoedsrust. Wat ze nu voelde had niets met liefde te maken. Het was verkeerd wat er gebeurd was.

Maar hoe had ze die kus kunnen voorkomen? Hij was veel sterker dan zij...

Als hij wilde... Vooral, hoe kon ze voorkomen dat ze op deze manier van streek raakte? Alleen al als ze hem zag begon haar hart te bonzen en kreeg ze trillende handen.

Ze stond op en wierp een blik op de loodgrijze hemel. Met heel haar hart bad ze: „Heer, laat me sterk zijn, want dit is niet goed. Leer me alle andere gevoelens, behalve mijn liefde voor Francis, te negeren." Ze haalde diep adem en voelde de tranen achter haar ogen prikken. Ze wist ineens zeker: als Roger hier bleef wonen, en waarom zou hij niet, dan zat een rustig leven er voor haar niet in. Er zouden dan altijd spanningen zijn. Ze kon niet verwachten dat Roger wegging, dit was immers ook zijn bedrijf.

Toen de deur zachtjes openkierde en de kinderen aarzelend binnenkwamen ging ze weer bij de tafel zitten. Zij konden niets gemerkt hebben.

Toch keek Nienke haar een aantal keren onderzoekend aan. Ineens zei ze: „Vind jij oom Roger niet aardig?"

„Och, ik ken hem niet zo goed," ontweek ze.

„Vanmorgen had hij ruzie met papa," wist het meisje nog te vertellen.

Wendeline ging er niet op in. Ze hoefde zich niet af te vragen waarover ze ruzie hadden gemaakt. Wendeline was de hele dag onrustig. Soms stond ze voor het raam en tuurde het erf af.

Als ze de deur hoorde keek ze schichtig op. Toen Leendert even de keuken inkwam zei hij: „Ze hadden weer ruzie."

„Dan weet ik wel waar 't over ging. Ze gaan trouwen," zei Rina met een knikje naar Wendeline.

Leendert glimlachte verheugd. „Daar doe je goed aan, kind. Francis is bijzonder op je gesteld."

Ze kon van deze oudere man niet verwachten dat hij zou zeggen: Francis houdt van je, dacht Wendeline. Maar als het zo werd gesteld kon het evengoed over een van de paarden gaan. Vervolgens vertelde ze zichzelf dat ze overgevoelig was.

„Natuurlijk gaat Roger daarover tekeer. Hij is jaloers," meende Leendert te weten. „Was het indertijd niet hetzelfde met Lenore? Maar zij was…"

Hij zweeg op een waarschuwende blik van zijn

vrouw.

Toen Wendeline boven bezig was dacht ze over Leenderts woorden na. Hij had het zo vanzelfsprekend gezegd. Roger is jaloers. En dat was dus ook zo geweest toen Francis voor de eerste keer trouwde. Waar kwam die jaloezie uit voort? Was het omdat zijn broer een echtgenote had en hijzelf alleen was?

Maar het moest voor hem toch niet moeilijk zijn om een vrouw te vinden. Of was het zo dat hij wilde hebben wat zijn broer had? En dat alleen om die broer dwars te zitten? Nu, hij zou haar niet krijgen, dacht ze flink.

✳7✳

Toen ze aan het begin van de avond de kinderen naar bed had gebracht, hoorde ze ineens geschreeuw op het erf.

Even stond ze verstijfd van schrik, toen griste ze haar jas van de kapstok en haastte zich naar buiten.

In het vage licht zag ze twee mannen vechtend over de grond rollen. Eén van hen was Roger. Van de andere kant kwam Francis aanhollen. Bij Leendert ging de deur open. Tot haar verbazing keek hij niet eens naar de vechtenden, maar liet in plaats daarvan een emmer in de regenput zakken.

Ze kon zien dat Roger en de andere man weinig voor elkaar onderdeden in lengte en kracht. De doffe klappen maakten haar bijna misselijk.

„Help, ze vermoorden elkaar," schreeuwde ze naar Francis.

Maar toen was Leendert er al en ze begreep wat hij van plan was. De volledige emmer ijskoud water ging over de mannen heen. Van schrik lieten ze elkaar even los en als bij afspraak grepen Francis en de oudere man Roger bij de kraag en hesen hem overeind.

Terwijl de andere man ook ging staan, hielden de anderen Roger stevig vast. Bloed stroomde uit de man zijn neus, zijn ene oog zat dicht en hij hield zijn linkerarm stijf tegen zijn lichaam.

„Misschien wil je ons uitleggen wat dit te betekenen heeft," zei Francis.

Wendeline had hem nog nooit zo'n ijzige toon horen aanslaan, hij was duidelijk woedend. Toen Roger niet reageerde, keek hij naar de ander. „Wat is dit voor onvolwassen gedoe?"

„Wat denk je? De smeerlap was weer met mijn vrouw bezig."

„Hoe bezig?" vroeg Francis koel.

„Je weet wat er in het verleden is gebeurd. Ik heb hem toen verboden nog op mijn erf te komen. Maar toen ik daarnet thuiskwam was meneer je broer in de keuken bezig te proberen mijn vrouw te zoenen."

„Ze wilde maar wat graag," schreeuwde Roger nu.

„Ik zag dat ze probeerde jou weg te duwen," zei de man.

„Natuurlijk, toen ze jou hoorde aankomen," spotte Roger.

De man deed opnieuw een uitval, maar Francis hield hem tegen. „Maak het niet nog erger."

„Als hij zich nog een keer op mijn erf vertoont vermoord ik hem," zei de man. Hij trok zijn kleren recht en begon weg te lopen, zij het enigszins mank.

„Misschien moet je je vrouw toch eens vragen of ze bij jou niet een en ander tekortkomt," schreeuwde Roger hem na.

Het was de buurman, begreep Wendeline ineens. Het werd haar nu ook duidelijk waarom ze wederzijds zo vreemd hadden gereageerd toen ze haar koffers daar had ondergebracht.

„Je gedraagt je meer dan belachelijk," zei Francis minachtend. „Waarom laat je andermans vrouwen niet met rust? Er zijn genoeg anderen, of niet soms? Als je zo doorgaat zal ik genoodzaakt zijn je weg te sturen."

„Wat zeg je daar?"

Roger sprak ieder woord zorgvuldig uit en Wendeline zag dat zijn mond begon op te zwellen. „Broer, toen ik de laatste keer keek stond mijn naam

106

naast de jouwe op de eigendomsakte van deze onderneming."

Hij praatte of hij kiezels tussen zijn tanden had.

Kalm zei Francis: „Daarin heb je gelijk. Maar wel onder voorwaarde dat wij het werk en het onderhoud hier gezamenlijk aanpakken. Daarnaast heb ik je gewaarschuwd niet meer bij de buren te komen. Je weet de reden."

„Gedraag je niet als een... als een heilige die alles zo goed weet en anderen de les leest. Ik weet dat jij nooit van het rechte pad afwijkt, maar wat nu gebeurd is, is wel jouw schuld."

Francis liet eindelijk zijn broer los en gebaarde Leendert hetzelfde te doen. „Mijn schuld. Heb ik je soms gestuurd?"

„In feite wel. Door dat achterlijke besluit met haar te trouwen. Je zult er niets van terechtbrengen, evenmin als de vorige keer."

Nu was het Francis die met gebalde vuisten op zijn broer toevloog.

„Houd op," riep Wendeline half huilend. Ze had ineens het bizarre gevoel dat zij de oorzaak van deze vechtpartij was.

Francis kwam abrupt tot stilstand. „Ga naar binnen, Wendy," zei hij kortaf.

Koppig antwoordde ze: „Denk dat maar niet. Straks slaan jullie elkaar dood."

Roger deed enkele stappen bij zijn broer vandaan. „Hoe zou dat komen, denk je? Jullie zijn erg bijbelvast, dus denk maar eens aan Kaïn en Abel. Broers slaan elkaar al de hersens in vanaf het begin van de wereld. Meestal komt het omdat de een in alle opzichten meer heeft dan de ander."

Hij liep weg en Wendeline keek hem na. Op dat

moment zag ze wat hij bedoelde. Roger was alleen en hij was eenzaam. Mensen waren dan wel onder de indruk van hem, vrouwen vielen voor zijn charme – met schaamte dacht ze aan haar eigen gedrag – maar niemand leek echt van hem te houden.

„Hij is altijd moeilijk geweest," zei Francis die avond. „Nu hij volwassen is wil hij zich nog steeds niet aanpassen. Hij wil vrijheid in alle opzichten. Zoveel vrijheid dat, als hij de vrouw van de buurman wil verleiden, er niets is wat hem tegenhoudt. Het is mogelijk dat zij ook niet afkerig was, Roger kan zeer overrompelend zijn. Blijf maar een beetje uit zijn buurt, Wendy. Ik vertrouw jou wel, maar hém niet."

Zij was ook niet te vertrouwen, dacht ze opnieuw beschaamd. En weer nam ze zich voor: het zou nooit meer gebeuren. Francis verdiende haar liefde en onvoorwaardelijke trouw.

Op Francis' aandringen had Wendeline haar trouwjurk in de stad laten maken. Ze had hem gevraagd of hij als weduwnaar wel een feest wilde geven. Maar hij had luchtig opgemerkt dat het verleden achter hem lag. Graag had ze hem willen vragen of hij nooit meer aan zijn eerste vrouw dacht. Het zou toch normaal zijn als juist in deze periode alle herinneringen aan zijn vorig huwelijk weer bovenkwamen. Maar ze had het niet gedurfd, bang de stemming te bederven.

Na de vechtpartij had Wendeline Roger niet meer van dichtbij gezien. Hij verbleef in zijn eigen huis in de heuvels, waar zij nooit was geweest.

Soms zag ze hem vanuit de verte aan het werk. Francis praatte niet over zijn broer. Wendeline vroeg zich af of hij wel op de bruiloft aanwezig zou zijn. Toen ze Francis ernaar vroeg, antwoordde deze: „Ik zou het niet weten. Hij wilde in elk geval geen getuige zijn."

Er zou nauwelijks familie aanwezig zijn, haar eigen ouders kwamen immers ook niet. Toen de dag was aangebroken en de gasten zich verzamelden zag Wendeline naar haar gevoel enkel vreemde gezichten. Behalve Francis en de kinderen en Leendert en Rina kende ze niemand. Er waren wat mensen waar Francis zakelijk mee te maken had en enkele personen uit het dorp.

Op het laatst kwam er een taxi het erf oprijden. Ze zag Roger uitstappen, keurig in zwart pak met spierwit overhemd. Hij zag er adembenemend uit, dat zag ze van een afstand. Er stapte echter nog iemand uit de auto en Wendeline slaakte een kreet en rende naar de taxi.

Het sleepje van haar jurk slierde over de vochtige grond. Het waren Greetje en Arnout. Even hielden de vrouwen elkaar vast, toen keek ze Roger stralend aan. „Heb jij hiervoor gezorgd?"

Hij schudde glimlachend het hoofd. „Ere wie ere toekomt. Francis heeft dit geregeld. Ik heb hen alleen van het station gehaald."

Francis was dichterbij gekomen en haar groene ogen straalden hem tegemoet, toen ze zei: „Wat ongelofelijk aardig van je om hieraan te denken."

„Zo heb je toch iets van thuis," zei hij warm. Op dat moment wist ze weer waarom ze in dit huwelijk had toegestemd. Welke man zou op een dergelijke gedachte gekomen zijn?

De plechtigheid op het gemeentehuis was snel afgelopen. In de kerk duurde het wat langer. Toen de predikant enkele keren terugkwam op het gegeven dat de vrouw de man moest gehoorzamen, gaf Francis plagend een kneepje in haar hand.

Een keer ving ze Rogers blik op en een kleur steeg naar haar gezicht. Zijn donkere ogen keken haar zo indringend aan. Ze hoopte maar dat het niemand was opgevallen. Dan had ze echter buiten haar vriendin gerekend. Doordat er niet zoveel gasten waren kon de bruiloft gewoon thuis worden gehouden.

Rina had voor vandaag hulp van een vrouw uit het dorp. De houtzagerij was schoon en versierd. Langs de wanden stonden houten banken en tafels rustten op schragen. Wendeline was aan één kant blij dat haar ouders er niet waren. Alles zou er heel anders hebben uitgezien als ze met Harry was getrouwd. Haar vader zou waarschijnlijk het hele dorp hebben uitgenodigd nu zijn dochter trouwde. Even had ze last van een vaag schuldgevoel, maar ze zette dat resoluut van zich af.

Ze wist wel zeker dat haar ouders voor deze omgeving hun neus zouden ophalen. Als ze toch waren gekomen, dan waren ze waarschijnlijk zo snel mogelijk weer vertrokken met een of ander vaag excuus.

Toen Greetje naast haar kwam zitten zei ze: „Ik ben zo blij dat je er bent. Dat was een enorme verrassing."

„Dat was ook de bedoeling. Je man heeft alles geregeld en betaald. Het was bijzonder attent van hem dat hij eraan dacht, vind je niet?"

„Hij is heel attent," zei Wendeline vol overtuiging.

„En die ander die ons kwam afhalen? In de kerk keek hij voortdurend naar je. Hij is een broer van je man, begreep ik. Hij lijkt wel een zigeuner."

„Hij is Francis' jongste broer. Hij woont hier ook en werkt met hem samen."

„Lieve help, dat lijkt me… nou ja, spannend. Ik zou een beetje bang zijn met zo'n man in de buurt. Helemaal geen type voor brave meisjes zoals wij. Nou ja, ik heb Arnout en jij hebt nu Francis. Maar vergeleken bij die Roger zijn dat toch maar gewone huis-tuin-en-keukenmannen, vind je niet?"

Greetje lachte naar Roger die hun richting uitkwam.

„Zo, de twee vriendinnen. Jullie samen moeten heel wat mannenharten in scherven hebben achtergelaten. Wil je met me dansen, Greetje?"

Het klonk als een dubbelzinnig voorstel, maar Greetje stemde onmiddellijk toe. Wendeline kon zien dat Arnout hier niet echt blij mee was.

Het was niet echt dansen wat ze deden. Althans Greetje had dat nooit geleerd, evenmin als Wendeline trouwens. Even later kwam Francis haar halen. De bewegingen leken nog het meest op volksdansen. Maar ze hadden plezier met elkaar. Niettemin was Wendeline opgelucht toen ze zag dat Greetje met haar eigen man in de kring was.

Zo vergleed de avond. Er werd veel gedronken. Wendeline zag Roger steeds opnieuw zijn glas vullen. Op het laatst werden de gasten weggebracht tot het hek en toen was ze ze Francis opeens kwijt.

Ze keek om zich heen en daar was Roger. „Praat nog even met mij. Voor je je afzondert met mijn broer."

Hij nam haar bij de arm en omdat ze geen scène wilde maken liep ze met hem mee. „Weet je dat je straks met mijn broer in één bed moet?" begon hij.

Ze rukte om haar arm los te krijgen. „Je bent dronken," zei ze boos.

„Je hebt gelijk," gaf hij toe. „Wendy, waarom ben je niet met mij getrouwd? Ik zou je vannacht de sensatie van je leven hebben bezorgd."

„Laat me los," zei ze, opnieuw onderdrukt heftig. „Ik ben met je broer getrouwd. Is voor jou dan niets heilig?"

„Ach, we gooien het op die toer. Het heilig huwelijk.

Nou, ik kan je vertellen: maar weinig huwelijken zijn heilig. Trouwen onder Gods zegen."

Het klonk spottend.

„Hou op. Al geloof jij nou niet in het bestaan van God, je hoeft niet neerbuigend te doen over mensen die wel in Hem geloven."

„Ik beweer niet dat God niet bestaat. Maar ik heb nooit gemerkt dat Hij mijn kant opkijkt."

„Je hebt je daar nooit mee beziggehouden," verbeterde ze.

„In elk geval… daar komt je echtgenoot. Veel geluk, schoonzusje."

Hij was ineens verdwenen. Francis kwam naar haar toe en legde een arm om haar heen. „Hij was toch niet vervelend?" vroeg hij.

Ze schudde het hoofd en vroeg zich op dat moment af waar ineens de neiging vandaan kwam Francis weg te duwen en in tranen uit te barsten.

Ze greep echter Francis' hand of het een reddings- boei was en liep met hem mee het huis in.

Lieve Greetje,
Ik had zo beloofd je te schrijven maar inmiddels zijn er alweer vier weken verstreken sinds onze trouwdag. Mijn excuus hiervoor is dat ik het erg druk heb.
Sinds ons huwelijk heb ik nogal wat mensen moe- ten ontvangen. Jammer genóeg weinig vrouwen van mijn leeftijd. De meesten zijn al jaren getrouwd en hebben kinderen.
Maar vervelen doe ik me zeker niet. Ik houd me veel met de kinderen bezig en leg me toe op het koken. Dat is wel nodig, want ze eten hier erg een- zijdig. In de zomer was het voortdurend sla, en nu

staan er steeds hutspotten en koolsoorten op het
programma.
Ik mis het eten van thuis soms wel. Ik wilde dat ik
wat meer had opgelet wat Mia op tafel zette. Maar
goed, al doende leert men zullen we maar zeggen.
Rina komt nog regelmatig helpen. Francis wil dat
er een werkster komt. De reden... hij is bij ons
thuis geweest en heeft gezien dat ik uit een totaal
ander milieu kom, zoals hij het uitdrukt.
Dat ik bij wijze van spreken ben opgegroeid met
dienstmeisjes en hulpjes voor alles. Hij zegt dat ik
in de tijd die ik overheb maar iets voor mezelf
moet gaan doen. Ik ben veel buiten, ik lees veel en
ben weer begonnen met tekenen. Je weet dat ik dat
altijd al graag deed. Het werkt natuurlijk uiter-
mate inspirerend dat Francis alles wat ik op
papier zet schitterend vindt. Hij is een lieve man,
Greetje en ik ben zo blij dat ik hem heb ontmoet.
Roger...

Wendelines pen bleef even boven het papier zweven,
toen streepte ze de naam door.

Na enkele ogenblikken schreef ze verder over haar
leven hier in het zuiden van het land, op de grens van
België en Duitsland. Ze vertelde over Leendert en Rina
die er helemaal bij hoorden en eigenlijk een soort opa
en oma waren voor Nienke en Raoul. Ze schreef dat
geen van de kinderen haar mama noemde en dat zij dat
ook niet stimuleerde. Nienke, daar kon ze goed mee
opschieten. Zij zou over enkele weken naar school
gaan en ze zou het meisje zeker missen. Raoul luisterde slecht. Meestal deed hij precies datgene wat ze hem
juist had verboden. Ze vroeg Greetje naar enkele personen uit het dorp die ze goed kende. Ze vroeg ook of

113

ze iets wist van haar ouders, omdat ze op haar brief nog geen antwoord had gekregen. Toen ze uiteindelijk afsloot met de vraag of Greetje snel wilde terugschrijven, viel haar oog weer op de doorgestreepte naam.

Ze wist wel zeker dat Greetje belangstelde in Roger. Maar kon ze haar schrijven dat ze Roger zo veel mogelijk ontliep omdat ze eigenlijk bang voor hem was? Bang voor een spottende blik uit die bijna zwarte ogen.

Bang ook voor haar eigen reactie als hij in haar buurt kwam.

Ze had Rina een keer gevraagd hoe Roger de avonden doorbracht. Hij woonde daar immers helemaal alleen in de heuvels.

„Ik denk niet dat hij daar veel alleen zit," had Rina kalm geantwoord.

Wendeline zag echter nooit iemand die richting uitgaan.

Francis wilde ze er niet naar vragen. Hoewel de twee broers geregeld samenwerkten wist ze niet of de sfeer na de laatste ruzie alweer was opgeklaard. De ruzie die was ontstaan toen Roger tegen zijn broer had gezegd dat hij niets van zijn huwelijk terecht zou brengen, evenmin als hem dat met zijn eerste vrouw gelukt was. En gelijk had hij niet gekregen want in Wendelines ogen bracht Francis er juist heel veel van terecht.

Hun verhouding was bijzonder plezierig en zij was graag in zijn buurt. Ze wist dat Francis veel van haar hield. Als hij op lange stille avonden de krant las, merkte ze vaak dat hij haar in stilte zat op te nemen met een blik in zijn ogen die ze alleen maar kon uitleggen als liefde.

Soms gingen ze heel vroeg naar bed en er was geen enkele tegenzin bij Wendeline. Er was niets van onzekerheid. Er was wel warmte, genegenheid en intimiteit.

Toch kwamen de woorden van Roger soms in haar gedachten. „Ik zou je de sensatie van je leven bezorgen." Wat kon hij daarmee bedoeld hebben? Die gedachte intrigeerde haar soms. Want hoewel ze zich gelukkig voelde, vond ze het huwelijk nog steeds niet sensationeel.

Het was echter waarschijnlijk dat Roger haar alleen op de kast had willen jagen. De meeste tijd kon ze gedachten over Roger wel van zich afzetten.

Ze was nu een keurig getrouwde vrouw. Ze ging samen met haar man naar de kerk en werd met duidelijk respect toegeknikt. Het gebeurde wel dat ze na de kerkdienst verschil van mening kreeg met Francis. Soms ging dat over de tekst waarover de dominee had gepreekt, maar ook wel over het gebed.

Zo ook die keer in het vroege voorjaar, toen het al weken niet had geregend en de grond te droog was om te bewerken. De predikant had de hemel bestormd met de vraag om regen. Hij had er ook bij gezegd dat zij als zondige mensen die droogte waarschijnlijk verdiend hadden.

Maar misschien wilde God toch genadig zijn en regen schenken aan het verdroogde land. Toen Wendeline haar twijfel hierover uitsprak zei Francis: „Ik weet dat wij minder last hebben van de droogte doordat wij niet van de opbrengst van het land hoeven te leven. Maar anderen komen wel in de problemen. Ben jij te trots om te bidden?"

„Het is niet dat ik te trots ben," begon ze aarzelend. „Ik geloof alleen niet dat bidden helpt om het vlugger te laten regenen."

„Als je niet in God gelooft," begon hij verontwaardigd.

„Natuurlijk geloof ik in Hem. Maar misschien heb ik

een andere opvatting over God dan de meesten hier," zei ze voorzichtig.

Toch liepen dergelijke gesprekken nooit uit op een echte ruzie. Ze dacht soms dat het voor haar onmogelijk was om ruzie met Francis te krijgen. Met zijn broer lag dat anders.

Die twee lagen om elke kleinigheid overhoop.

Na een aantal weken kwam er een brief van Greetje als antwoord op de hare. Gretig las Wendeline alle wetenswaardigheden over de streek waar ze had gewoond en over de mensen uit het dorp.

Greetje schreef haar dat ze in verwachting was. Ze vertelde uitgebreid hoe ze zich voelde en dat Arnout met heel veel liefde en aandacht een houten wieg aan het maken was.

Zoiets zou Francis vast ook doen, dacht Wendeline met een gevoel van vertedering. Toen las ze over Harry die kennis aan iemand anders leek te hebben. Het gaf Wendeline een opgelucht gevoel. Zij had hem toch niet echt netjes behandeld. Ze hoopte oprecht dat hij met een andere vrouw meer geluk had. De brief ging verder:

Dan moet ik je iets vertellen over je ouders. Maak je niet direct ongerust, het zijn maar geruchten.

Maar je moet het wel weten, vind ik. Men zegt dat je vader regelmatig wordt gezien bij een alleenstaande vrouw thuis. Zij woont in een dorp in de buurt en zij is weduwe. Hij schijnt haar in eerste instantie te hebben opgezocht in zijn functie als ouderling. Je begrijpt dat er nogal wordt gepraat. Mensen gooien nu eenmaal graag met modder en zeker naar vooraanstaande personen.

116

Het is natuurlijk ook mogelijk dat hij de vrouw alleen opzoekt om haar geestelijke steun te geven. Maar als dat zo vaak voorkomt is het toch niet verstandig. Je moet alle schijn vermijden, zegt men altijd. Misschien is dit wel de reden waarom je ouders jou niet terugschrijven. Voor je moeder lijkt het me bijzonder vervelend. Als ik meer weet zal ik je opnieuw schrijven, hoewel jij waarschijnlijk ook niets kunt doen in dit geval...

Wendeline liet de brief zakken en staarde voor zich uit. Had haar moeder hier ook al niet op gezinspeeld?

Ze had haar toen niet willen geloven. Greetje had vast gelijk, er zou wel iets van waar zijn. Ze dacht aan haar vader, lang, rijzig en knap om te zien. Zesenveertig jaar. Was hij een man voor wie vrouwen vielen? Ze kon zich daar niets bij voorstellen. Haar vader, Paul Vreehorst, was de echtgenoot van haar moeder. Anders kon ze hem niet zien. Als ouderling ging hij regelmatig op bezoek bij mensen. Ook bij vrouwen alleen. Was het mogelijk dat hij verliefd was geworden en de betreffende vrouw ook?

Hoe had hij dit kunnen laten gebeuren, dacht ze kwaad ineens. Hij die altijd zoveel kritiek had op anderen. Ze kon weinig doen, behalve haar moeder een brief schrijven. Maar de kans dat hij haar brief opende was zeker niet denkbeeldig. En zij moest hier buiten worden gehouden, zoveel begreep ze wel. Ze vertelde nog niets aan Francis, ze schaamde zich te veel. Haar vader die hevig verontwaardigd was geweest omdat zij in hetzelfde huis woonde als Francis. Die niet had geloofd dat zij toen niets met elkaar hadden. Hij had haar niet vertrouwd. Dat kwam zeker omdat hij zelf niet te vertrouwen was. Arme mama. Wat kon zij

117

anders doen dan gewoon doorgaan of er niets aan de hand was?

O, zij, Wendeline, zou haar vader weleens een en ander onder de neus willen wrijven. Ze was er echter zeker van, dat als die mogelijkheid zich ooit voordeed, haar ontzag voor hem toch weer de overhand zou krijgen.

Nog een geluk dat ze niet meer bij hen woonde en ook niet in hun buurt.

Of het gebed van de dominee en van velen met hem toch had geholpen, wie zou het zeggen. Een feit was, dat het ging regenen. Dagen achtereen viel het met bakken naar beneden. Het riviertje dat anders rustig aan de achterkant van de schuur voorbijkabbelde werd nu een brede stroom.

Het regende zo hard dat je nauwelijks buiten kon komen. Leendert en Rina kwamen die dagen in de keuken bij Wendeline koffiedrinken. Nu er geen aanvoer van bomen was, was er niet veel te doen. Ze hadden tijd over. Ze begonnen zich wat te vervelen.

„Het is niet te geloven, we waren zo dankbaar toen het begon," zuchtte Rina.

„Heden verblijden, morgen lijden," merkte Leendert wijsneuzig op.

„Is dat een vaststaand feit?" vroeg Wendeline nieuwsgierig.

„Het is een gezegde en soms is het waar," antwoordde Leendert.

Wendeline lachte naar Francis die met Raoul op zijn knie zat. Het kind wilde voortdurend naar buiten. Wendeline had al een keer de neiging moeten bedwingen om hem inderdaad buiten de deur te zetten. Het kind zou binnen enkele minuten doorweekt zijn en brullen om binnen te komen. Ze kon slecht tegen

118

gezeur. Maar ze was volwassen en werd geacht verstandig te zijn.

Toen ging de deur open en kwam Roger binnen. Wendeline zag de frons op Francis' gezicht verschijnen en ook de afweer op de gesloten gezichten van de andere twee.

Ineens had ze medelijden met Roger. Hij was niet welkom en dat moest hij toch voelen. Natuurlijk, hij was een ruziezoeker en vaak was hij onaangenaam en sarcastisch. Maar het was niet goed om hem buiten te sluiten. Dat was eigenlijk zondiger dan niet bidden om regen, dacht ze.

Vriendelijk vroeg ze: „Wil je koffie, Roger?"

„Graag, schoonzusje."

Hij ging zitten en keek hen een voor een aan.

Toen zei hij: „Gisteren was ik in het café in het dorp. Iemand zei daar: deze regen, daar moeten we dankbaar voor zijn. Het is de verhoring van een gebed. Toen zei ik: jullie God weet geen maat te houden. Prompt zetten die lui me buiten de deur."

„Terecht," zei Francis kalm. „Wat je zelf wel of niet gelooft is jouw zaak. Maar je moet niet spotten met datgene wat voor velen van ons heilig is."

Wendeline ving Rogers blik op. Ze had even moeten lachen om zijn opmerking, dat lachje was nog niet helemaal uit haar ogen verdwenen. Ze kreeg echter een vuurrode kleur toen hij naar haar knipoogde. Even later zette ze de koffie voor hem neer en ze kon niet voorkomen dat zijn duim even strelend haar hand raakte toen hij de mok van haar overnam. Er ging een soort elektrische schok door haar onderarm en ze wendde zich snel af.

Niemand scheen iets gemerkt te hebben, maar ze haalde toch opgelucht adem toen de mannen weer naar de schuur waren vertrokken. Het was onmogelijk een normale verhouding met Roger op te bouwen. Hij zou altijd proberen te flirten.

Toen ze samen met Rina nog een tweede kopje koffie dronk, miste ze Raoul plotseling. Nienke, die bij de tafel zat te tekenen, haalde haar schouders op bij haar vraag. „Ik heb niet op hem gelet," zei ze nuffig en op een toontje van 'dat is toch jouw taak'.

In een mum van tijd was Wendeline het hele huis door geweest.

„Zou hij met de mannen mee zijn naar de houtschuur?" vroeg ze Rina.

„Zouden ze dat niet gezegd hebben?" weifelde deze.

Wendeline haastte zich naar de voordeur. Ze had weinig wat haar tegen deze enorme stortbuien beschermde, maar eigenlijk dacht ze daar ook niet aan. Waar was Raoul? Dat ventje met zijn brutale snoet en uitdagende donkere ogen?

Ze lette niet op de modder die haar kleren onderspatte, maar rende door de neerstromende regen naar de houtschuur. De mannen hoorden haar stem boven het geluid van de zaagmachine uit. Francis zette het gevaarte stil en kwam naar haar toe. „Is Raoul niet hier?" vroeg ze bevend.

„Niet dat ik weet," zei Francis rondkijkend.

„Hij is weg. Hij is niet in huis."

„Die verdraaide jongen. Is hij toch naar buiten in dit weer."

Hij rukte een oliejas van de muur en gooide deze naar haar toe. Zelf trok hij eveneens iets dergelijks aan. Roger ging zonder iets naar buiten, zodat zijn overhemd binnen enkele minuten aan zijn lichaam plakte.

Wendeline voelde nu pas hoe koud het was.

„Laten we eerst maar naar de rivier gaan," stelde

Roger voor. Hij liep met grote snelle passen voor hen uit. De rivier, dacht Wendeline. Waarom zou het kind daarheen gaan? Ze volgde de beide mannen en smeet halverwege de oliejas van zich af.

Ze kon zich nauwelijks bewegen met dat ding aan. De wind rukte nu aan haar kleren en ze was binnen enkele minuten doorweekt. Om de hoek van het huis raakten haar haren los en fladderden om haar hoofd.

„Je lijkt weer sprekend een heksje," mompelde Roger toen ze in zijn buurt kwam.

Ze deed of ze 't niet hoorde en liep hem voorbij. Francis was als eerste bij de rivier en toen hij zich zonder aarzelen langs de oever naar beneden liet zakken begon Wendeline opnieuw te rennen. Het zou toch niet... Maar het was wel waar. Wendeline hoorde een kreet: „Raoul." Met het kind in zijn armen klauterde Francis een paar minuten later met behulp van Roger de gladde oever weer op.

Raoul hing als een slappe pop in zijn vaders armen. Zijn gezichtje was bleek en zijn lippen waren blauw verkleurd. Roger nam het kind van Francis over en legde Raoul zonder aarzelen op de grond. Hij legde het hoofdje opzij en drukte op de smalle borstkas. Er gulpte water uit Raouls mond, maar verder gebeurde er vooralsnog niets.

Toen begon Roger in de mond van het kind te ademen. Wendeline keek naar Francis die er als versteend bij stond. Roger ging intussen door terwijl hij droop van het water.

Wendeline knielde in de stromende regen bij hem neer. „Kunnen we hem niet beter naar binnen brengen?" vroeg ze.

„Er is geen tijd te verliezen," antwoordde Roger kortaf.

Het leek eindeloos te duren voor Roger opstond en met het kind in zijn armen in de richting van het huis liep. Daar liep hij regelrecht naar boven en legde Raoul op zijn eigen bed.

„Wat…" begon Francis.

„Hij ademt weer. We moeten wel een dokter waarschuwen."

Ineens scheen Francis uit zijn verstarring te ontwaken. „Doe jij dat. Tenslotte ben jij de schuld van dit alles. Jij bent degene die het kind altijd meeneemt naar de rivier om te leren vissen."

Wendeline opende haar mond om te protesteren tegen zoveel onredelijkheid.

„Hij heeft Raouls leven gered," zei ze heftig.

„Kan zijn. Maar toch wil ik niet dat hij nog ooit in de buurt van mijn kind komt."

Roger keek hem recht aan. Zijn ogen leken zwarter dan ooit in zijn lijkbleke gezicht. „Hoe waag je het mij de schuld te geven! Het kind was altijd al graag bij mij. Sinds jij een vrouw hebt lijk je niet veel tijd meer voor hem te hebben."

„Toch…"

Voor Francis kon uitpraten richtte Roger zich wat hoger op. „Je hebt het steeds over mijn kind. Weet je wel zeker dat hij van jou is?"

Hij verliet de kamer voor Francis op hem toe kon vliegen.

„Hou op. Is het kind niet belangrijker dan jullie ruzietjes?" viel Wendeline uit. Op dat moment bewoog Raoul zich en Francis viel op zijn knieën bij het bed. Hij begon tegen het kind te praten, streelde het gezichtje, waar langzaam wat kleur op kwam. Wendeline zag zijn tranen en ging op de rand van het bed zitten, legde haar hand op de zijne.

122

„Goddank, hij is er nog," fluisterde ze. „Roger heeft hem gered, dat mogen we niet vergeten."

Francis antwoordde niet en Wendeline vroeg zich af of hij zichzelf verwijten maakte dat hij niet zelf had geprobeerd het kind bij te brengen.

Ze kon echter begrijpen dat hij van ontzetting niet had geweten wat te doen. Terwijl ze bij het bed zaten bleef Rogers opmerking door haar gedachten spoken. „Hoe weet je zo zeker dat hij van jou is?"

Wat kon hij daarmee bedoelen? Ze wist inmiddels dat Roger bijzonder sarcastisch kon zijn. Maar zou hij volkomen ongegrond een dergelijke gemene opmerking maken en dan nog wel op zo'n moment? Dat kon ze niet geloven. Het was natuurlijk onterecht van Francis om te beweren dat het Rogers schuld was dat Raoul in de rivier was gevallen. Maar dat was nog geen reden om zoiets te zeggen.

Ze boog zich over het kind dat mompelde en onrustig werd. „Hij zal het vast wel redden," zei ze tot Francis die geen oog van zijn zoon afhield.

„Ik weet het niet," klonk het gekweld. „Ik heb weleens gehoord dat men er wat van overhoudt als de hersens te lang zonder zuurstof zijn."

„We weten niet hoe lang hij in 't water lag."

„Wat Roger zei…" begon hij toen.

„Laten we 't daar een andere keer over hebben. Jullie beiden zijn niet bepaald handig in datgene wat je tegen elkaar zegt. Je moet het in dit geval maar op de schrik en de spanning schuiven."

„Denk je?" vroeg hij twijfelend.

Wendeline wist wel zeker dat hij erop terug zou komen. Zo niet tegen haar dan toch wel tegenover zijn broer.

❈8❈

De dokter was er snel. Toen ze de auto op het erf hoorden begrepen ze dat Roger hem met een taxi had laten halen. Roger zelf kwam niet binnen. De dokter, een kleine gezette man met een puntbaardje en een goudomrande bril ging er op zijn gemak bij zitten.

„Ik hoorde dat hij in de rivier lag. Hoe is dat gekomen? Een kind van die leeftijd hoort niet buiten in dergelijk bar weer."

Hij wierp een blik op Wendeline of hij haar persoonlijk verantwoordelijk achtte.

„Hij was ineens weg," meende ze zich te moeten verdedigen.

„Aha. Zoals je een kleinigheid kunt kwijtraken. Een naald of een sleutel bijvoorbeeld."

„Kom tot de zaak. Mijn vrouw is hier niet schuldig aan," zei Francis korzelig.

„Ik spreek niet over schuld. Ik vraag me alleen af of sommige mensen niet te jong zijn om verantwoordelijkheid te dragen."

„En ik vraag me af waar u zich mee bemoeit."

„Ik onderzoek de achtergrond van dit vreemde ongeluk," zei de dokter, blijkbaar niet van plan zich te laten intimideren.

Toen stond hij op en boog zich over Raoul. Hij beklopte en beluisterde het kind dat protesterende geluidjes maakte zonder echt wakker te worden. Toen hij daarmee klaar was hield hij de smalle pols even vast, intussen op zijn horloge kijkend. „Tja," zei hij langzaam. „Hij mag dan van de verdrinkingsdood zijn

124

gered, we zijn er nog niet. Hij zal ongetwijfeld longontsteking krijgen. Er zit nog wat vocht bij de longen
en dat zal die ontsteking veroorzaken."

„Wat kunnen we daartegen doen?" vroeg Francis
gespannen.

„Weinig, vrees ik. In bed houden en afwachten. Ik
kom morgen weer."

Hij knikte en verliet de kamer. Wendeline liep met
hem mee en opende de deur voor hem. De arts keek
haar even aan. „Kinderen zijn onberekenbaar, weet je,"
zei hij niet onvriendelijk.

Wendeline antwoordde niet. Ze keek hem na en zag
dat Roger uit de wachtende taxi stapte en even met
hem praatte. Toen startte de chauffeur en de auto reed
het erf af.

Wendeline bleef staan, half en half verwachtend dat
Roger naar haar toe zou komen. Dan zou ze hem vragen waarom hij op zo'n kritiek moment zo'n gemene
opmerking had gemaakt. Maar hij kwam niet. Hij
draaide zich om en liep weg, nog steeds zonder jas in
de neergutsende regen.

Onverhoeds schoten Wendeline de tranen in de
ogen. Daar ging hij weer alleen. Hij zou de verdere dag
alleen in zijn huis zitten. Waarschijnlijk piekerend over
hoe het met Raoul zou aflopen. Haar keel kneep samen
van medelijden.

Toen dacht ze aan Rina en Nienke die ongetwijfeld
vol spanning in de keuken wachtten op de uitslag van
het doktersbezoek. Leendert was er inmiddels ook en
ze begreep dat hij had verteld wat hij wist. Hij was ook
meegeholt naar de rivier, herinnerde ze zich nu. Hij
moest dus ook de opmerking van Roger hebben
gehoord. Wendeline vertelde wat de dokter had
gezegd.

„Longontsteking. Dat is heel ernstig," zuchtte Rina.
Wendeline zag het gezicht van Nienke en sloeg een
arm om het meisje heen.
„We doen alles om hem erdoorheen te halen."
„We kunnen alleen bidden," zei Rina.
„Nou, ik denk dat we daarnaast heel goed voor hem
moeten zorgen. Hoewel bidden natuurlijk belangrijk
is," voegde Wendeline er nog aan toe.

Raoul werd inderdaad ernstig ziek. Hij kreeg hoge
koorts en zijn ademhaling ging moeizaam en piepend.
Om beurten waakten zij en Francis bij het kind.

Soms nam Rina het een poosje over en daarnaast
zorgde zij ook dat ze wat te eten kregen en ze hield
zich met Nienke bezig. De dokter kwam iedere dag en
keek zorgelijk. Op de vierde dag zei hij: „Ik zou de
dominee maar waarschuwen."

„Wat kan die doen?" vroeg Wendeline strak.

Hij keek haar aan. „Jullie kerkmensen hebben er
toch graag een dominee bij als de situatie kritiek
wordt?"

Ze antwoordde niet, maar bracht de boodschap over
aan Francis. Deze knikte en zei dat hij Leendert naar
hem toe zou sturen.

Diezelfde morgen stond Roger ineens bij de tafel.
Wendeline schrok toen ze hem zag. Hij zag er niet
alleen slecht uit, hij leek ook sterk vermagerd en het
viel haar op dat hij beefde. Hij hield zich aan de tafel
vast maar ging niet zitten. „Hoe is het met hem?" vroeg
hij.

„Niet zo goed. De dokter heeft ons aangeraden de
dominee te waarschuwen."

„Waarom?"

„Hij kan voor ons bidden," zei Francis moeilijk.

„Wilde je daarmee zeggen dat de gebeden van jullie niet goed genoeg zijn?"

Francis maakte een vermoeid gebaar en Wendeline stond op, bang dat ze zelfs op dit moment ruzie zouden krijgen.

Maar Roger draaide zich om en verliet het vertrek. Ze liep met hem mee en stond bij de deur tegenover hem.

„Laat hem niet doodgaan," zei hij hees.

Ze hoorde zijn tanden klapperen en zei: „Volgens mij ben je zelf ook ziek, Roger."

Hij sprak haar niet tegen. „Laat het kind niet doodgaan," zei hij nog eens.

„We doen alles wat mogelijk is," zei ze zacht. Op dat moment kwam Leendert het erf oprijden. Met de kleine huifkar had hij de dominee opgehaald.

Wendeline voelde Roger naast zich verstrakken. „Hij meent het goed," fluisterde ze nog gauw.

Toen de man in het zwart naar binnen wilde gaan versperde Roger hem de weg.

„Wat komt u doen?" vroeg hij. Zijn stem klonk niet helemaal vast en door zijn matte oogopslag en het feit dat hij zich vasthield, maakte hij minder indruk dan anders het geval was.

„Ik kom bidden voor de zondige ziel van een doodziek jongetje," was het antwoord.

„Hoe durft u? Een kind van drie jaar heeft geen zonden. Wendy, laat dat niet gebeuren."

Hij kreeg een blaffende hoestbui en Wendeline liet de dominee passeren en liep met Roger mee naar buiten. Sussend zei ze: „Maak je niet kwaad. Zorg eerst maar dat je zelf beter wordt."

Hij keek haar strak aan en zei: „Stel, dat ik zou bidden. Denk je dat er naar mij wordt geluisterd?"

„Ik weet zeker dat God naar elk eerlijk gebed luistert," zei ze beslist.

Zijn hand raakte even de hare en ze voelde hoe gloeiend heet die hand was.

Bezorgd keek ze hem na. Hij was echt ziek, dat was wel duidelijk. Wie zorgde er voor hém?

Langzaam liep ze de trap op. De doorwaakte nachten begonnen hun tol te eisen. Bij het bed stond de brede in het zwart geklede gestalte van de predikant. Hij praatte zachtjes met Francis. Wendeline hoorde hem zeggen dat als Francis dit kind zou moeten missen, God daar zeker een bedoeling mee zou hebben. Ze zag Francis' gezicht vertrekken, ging naast hem staan en pakte zijn hand. Ze vroeg: „Wilt u niet bidden of God dit kind wil genezen?"

Hij knikte. „Maar we kunnen niets afdwingen. Als het Gods wil is dit kind tot Zich te nemen dan…"

„Zeg Hem dat wij… Wij hebben Raoul meer nodig dan God."

De dominee keek haar ernstig aan, maar ze sloeg haar ogen niet neer. Toen vouwde hij zijn handen en bad voor genezing, maar als dit niet zo mocht zijn dat de ouders Zijn wil dan zouden aanvaarden zonder opstandig te worden. Wendeline verbeet haar tranen. Haar ogen waren gericht op het hijgende jongetje in bed. „Word weer beter," smeekte ze in stilte. „Ik zal nooit meer boos op je zijn als je niet naar me luistert."

Even later liet ze de dominee uit. Bij de deur hield hij haar even staande. „Ik voel bij u een grote opstandigheid. Dat is verkeerd," zei hij ernstig.

„Het spijt me," antwoordde ze kortaf.

„Probeer hierover met God in het reine te komen," zei hij nog. Ze sloot de deur onmiddellijk achter hem en liep de trap op.

Boven ging ze opnieuw naast Francis zitten. Na een ogenblik zei ze: „Als het... wanneer het verkeerd afloopt met Raoul, dan wil ik de dominee hier niet hebben. Ik heb geen enkele behoefte aan zijn vrome troostwoorden."

Francis legde zijn arm om haar heen en ze bleven zwijgend zitten. Ze durfden de kamer nauwelijks meer te verlaten. Het was Rina die toen ze aan het eind van die dag binnenkwam zei: „Hij ziet er anders uit."

Half versuft bogen ze zich over het bed. Wendeline legde een hand tegen het eerst nog gloeiende gezichtje. Hij was nog warm, maar leek iets minder hitte uit te stralen. Was dit een goed teken of juist niet? Had het lichaam de strijd tegen de koorts verloren of... Het leek echter of Raoul wat minder snel ademde.

Nog bleven ze de hele nacht bij hem zitten, maar de volgende morgen was de temperatuur duidelijk gezakt. Het kind was drijfnat van het zweet en toen ze hem probeerden te laten drinken nam hij enkele slokjes.

De dokter kwam die morgen en toen hij hun hoopvolle gezichten zag zei hij: „Ik denk dat hij 't redt. Hij is nog erg zwak, maar met goede verzorging komt hij er weer bovenop."

Toen de arts weg was keken Wendeline en Francis elkaar aan. Ze zag de lijnen in zijn gezicht en de vermoeide oogopslag en zei: „Zou je nu niet eerst gaan slapen?"

„En jij?" vroeg hij.

Rina die hun woorden hoorde, zei: „Gaan jullie alletwee naar bed. Ik zal vannacht ook bij hem blijven."

Ze protesteerden geen van beiden. Ze trokken alleen hun schoenen uit en vielen gekleed op het bed. Even keken ze elkaar met een vage glimlach aan en zochten elkaars hand.

Ze werden pas de volgende morgen wakker toen de zon volop hun kamer binnen scheen. Ze hadden niet meer de moeite genomen om de luiken te sluiten.

Wendeline ging snel rechtop zitten. „Raoul, hoe zou het met hem zijn?"

Francis greep haar arm. „Goed. Ik ben een paar uur geleden gaan kijken. Hij sliep en zag er rustig uit."

„Je hebt toch wel geslapen?" vroeg ze ongerust.

„Ja, mijn lief, maar niet zo vast als jij. Ik moet je bedanken voor al je zorg voor Raoul."

„Francis, hij is ons kind…"

„Ik ben blij dat je dat zegt. Maar hij is jouw kind niet. En mogelijk ook niet het mijne…"

Ze maakte een gebaar om hem tot zwijgen te brengen.

„Niet nu, Francis. Het werd in woede gezegd. Roger wilde je flink raken en zoals altijd slaagde hij daarin."

Hij trok haar tegen zich aan. „Je bent lief, maar je weet niet alles."

Nee, ze wist niet alles. Ze kreeg steeds meer het gevoel dat er dingen voor haar verborgen werden gehouden. Ook zaken in verband met Francis' eerste vrouw.

Dacht haar man dat ze te jong was om bepaalde zaken te begrijpen? Nu, als Raoul beter was zou ze erop staan dat Francis haar alles vertelde. Ze had echter het idee dat ze van Roger meer te weten zou komen. Roger, hoe zou het met hem zijn? Twee dagen geleden had hij er ziek uitgezien.

Misschien kon ze het Leendert vragen. Het leek haar niet raadzaam op dit moment opnieuw over Francis' broer te beginnen. In de dagen die volgden knapte Raoul langzaam op. Hij kreeg meer eetlust en was iedere dag wat langer uit bed. Nienke speelde vaak bij hem.

Het kind was natuurlijk ook ongerust geweest en ze hadden haar een beetje in de steek gelaten, besefte Wendeline. Gelukkig had Rina haar zo veel mogelijk opgevangen. Toen ze de eerste keer weer bezig waren met de leeslessen, vertelde Wendeline het kind een en ander over Raouls ziekte en hoe ongerust ze geweest waren.

„Nadat de dominee was geweest werd hij beter," zei Rina van de andere kant van de kamer.

Wendeline fronste. „De dominee heeft niets aan zijn herstel bijgedragen."

„Hij heeft gebeden en hij kan dat veel mooier dan wij," zei Rina vroom.

„Het gebed van ieder mens is waardevol. Het gaat er niet om hoe mooi je zinnen weet te formuleren. Weet je niet van de Farizeeërs die op de hoeken van de straten iedereen lieten horen hoe mooi ze konden bidden?"

Wendeline keek naar Nienke die haar met grote ogen aankeek. „Ik wil niet dat zij denkt dat haar kindergebed niet belangrijk is," voegde ze er nog aan toe.

Op dat moment kwam Leendert binnen, dus werd Rina een antwoord bespaard.

„Heb je Roger gezien?" vroeg Wendeline aan de oudere man. Deze schudde het hoofd. „Niet meer sinds Raoul ziek is geworden. Of alleen die keer dat de dominee kwam. Hij is niet meer komen werken. Het is vervelend, want er blijft werk liggen. Maar ik heb begrepen dat Francis vandaag weer gaat beginnen. Roger is toch geen persoon waar je van op aankunt."

„Is hij altijd zo geweest?" vroeg Wendeline.

„Hoe?" vroeg Rina, die blijkbaar van mening was dat zijzelf het gesprek beter kon overnemen.

„Nou... tegen de draad in... Anders."

Rina wierp een blik op Nienke, zei toen: „Hij heeft

bepaald niet alle tien geboden nageleefd."

„Hij is een vrijbuiter. En hij had altijd succes bij de meisjes," vulde Leendert aan.

„Het zal nog eens verkeerd met hem aflopen," voorspelde Rina.

Ze stond op en duwde Leendert haast de kamer uit. „Jij hebt vast nog een en ander te doen."

Blijkbaar vond ze dat er genoeg gepraat was. Of het onderwerp stond haar niet aan.

Wendeline besloot dat ze voor vandaag genoeg hadden gelezen en begon het materiaal op te bergen. Onverwacht zei Nienke: „Toch is oom Roger wel aardig. Hij doet soms heel wilde spelletjes met ons. Hij vertelt spannende verhalen en Raoul speelt ook weleens bij hem thuis."

Dus als Raoul niet te vinden was kon hij zich daar ophouden, dacht Wendeline. Ze dacht weer aan Rogers woorden tot zijn broer. „Hoe weet je zo zeker dat hij van jou is?"

Ze zag hem weer voor zich zoals hij tien dagen geleden bij haar deur had gestaan. Bevend en mager, en duidelijk ziek. Niemand had hem nadien nog gezien. Hij kon wel doodziek zijn. Longontsteking, zoals Raoul.

En er was niemand die voor hem zorgde. Ze moest er met Francis over praten. Stel, dat hij dood was. Het zweet brak haar plotseling uit.

Ze hadden hem zonder meer aan zijn lot overgelaten. Alleen zijzelf wist dat hij ziek was. Ze moest naar hem toe, maar dat zou Francis nooit goedvinden. Ze kon het hem beter niet vragen. Maar hij zou toch niet van haar verwachten dat ze een mens in nood aan zijn lot overliet?

Zelfs al was die persoon zijn recalcitrante broer.

Toch bleef Wendeline de verdere morgen aarzelen. Af en toe keek ze naar de beboste heuvels waar ze Rogers huis wist. De zon scheen volop en de hellingen waren begroeid met brem die nu goudgeel begon te kleuren. Er stond een zachte voorjaarswind. Raoul zat voor het eerst buiten in de grote rieten stoel.

Nienke speelde vlak bij hem met een bal. Af en toe werd het verlangen Raoul te sterk en schoot hij uit zijn stoel om de bal een flinke schop te geven. Maar iedere keer ging hij snel weer zitten. Zijn benen beefden, verklaarde hij. Wendeline zat op de bank naast hem.

„Hoe kwam het toch dat je toen in het water viel?" vroeg ze zo achteloos mogelijk.

„Ik wilde kijken of ik een bever zag. Soms met oom Roger zag ik een beverdam. Ik gleed uit. Oom Roger heeft mij gered, hè?"

Wendeline knikte.

„Oom Roger zegt altijd dat ik ook zijn jongetje ben."

Wendeline moest even iets wegslikken en gaf geen antwoord.

„Waar is oom Roger? Komt hij niet kijken of ik bijna beter ben?"

Raoul begon zijn ziekte interessant te vinden. Vooral stond hem het feit aan dat volwassenen dingen voor hem haalden waar hij om vroeg en lekkere dingen voor hem klaarmaakten.

„Hij komt vast binnenkort," antwoordde Wendeline.

„Als ik weer goed kan lopen ga ik zelf naar hem toe," verklaarde het kind.

En wat zal hij dan vinden, vroeg Wendeline zich af. Nee, ze moest zich niets in haar hoofd halen. Als ze zich ongerust bleef maken deed ze het beste te gaan kijken.

Toen ze tussen de middag aan tafel zaten vroeg ze zo

133

nonchalant mogelijk: „Heb jij Roger de laatste tijd nog gezien?"

„Nee. Daar heb ik ook geen behoefte aan," was het kalme antwoord.

Wendeline besloot in verband met de kinderen niet verder op het onderwerp door te gaan.

Toen ze de tafel afruimde en Francis nog even bleef zitten zei ze echter: „Roger heeft je zoon het leven gered. Vermoedelijk is hij zelf ook ziek geworden. Vind je dat je hem aan zijn lot kunt overlaten?"

„Hoe kom je erbij dat hij ziek is?" vroeg Francis scherp.

„Toen de dominee hier was, in verband met de kritieke toestand van Raoul, heb ik hem nog gezien. Hij was toen duidelijk ziek."

„Onkruid vergaat niet," was het verbluffende antwoord.

Met heftige bewegingen boende ze de tafel schoon. „Dat is geen erg christelijke gedachte."

„Ik wil hier verder niet over praten."

Francis stond op en verliet de kamer en het huis. Ze keek hem na toen hij naar de houtschuur liep.

Wat kon hij soms toch halsstarrig zijn. Als Roger er niet was geweest had hij geen zoon meer gehad. Ze nam het besluit zelf te gaan. Eerder zou ze toch geen rust hebben. Ze begon een mandje in te pakken, deed er brood met ham en kaas in. Er was ook nog wat soep over. Raoul lag in bed voor zijn middagslaapje en Nienke was in het dorp bij een vriendinnetje gaan spelen. Toch vertrok Wendeline via de achterkant van het huis. Ze wilde niet dat iemand haar zag gaan. Maar ze zou het Francis wel vertellen, besloot ze. Het eerste stuk liep ze snel, toen ze uit het zicht van het huis was, vertraagde ze haar pas.

Ze wist welke richting ze moest kiezen en na ongeveer tien minuten op de licht stijgende weg te hebben gelopen zag ze het huis liggen. Het bleek een houten huis met een brede veranda. Bloeiende planten hingen over de balustrade.

Ze bleef even aarzelend staan, wist zelf niet waarom ze een verwaarloosd geheel had verwacht.

Langzaam liep ze dichterbij en ging via het trapje de veranda op. Ze klopte zachtjes op de houten deur. Er kwam echter geen reactie.

Toen ze de deurknop probeerde, bleek deze mee te geven en voor ze het wist stond ze in een portaal, waar de deur openstond naar wat kennelijk het woonvertrek was. De kamer was eenvoudig, maar zeker niet ongezellig ingericht. Er stonden twee rieten leunstoelen en om een vierkante houten tafel waren stoelen met biezen matten. Op de tafel lag een handgeweven kleed en er lagen kleurige kussens in de stoelen. Je zou bijna denken dat een vrouw de hand had gehad in deze inrichting.

Van Roger zag ze echter geen spoor. Er was een deur in het vertrek, die zou ongetwijfeld naar de slaapkamer leiden. Of mogelijk was er een trap naar boven. Ze wist zelf niet waarom ze op haar tenen liep. Zachtjes opende ze de deur.

Er stond inderdaad een bed, redelijk netjes opgemaakt. Roger was er dus niet. Blijkbaar mankeerde hem niets en daar was ze blij om. Ze kwam hier toch zeker niet in de hoop Roger ziek en hulpeloos aan te treffen, zodat hij zich dankbaar door haar liet verzorgen.

Ineens meende ze iets te horen, maar voor ze zich kon omdraaien lagen twee handen zwaar op haar schouders.

„Ik heb hier vaker vrouwenbezoek gehad. Het is echter nooit voorgekomen dat een vrouw rechtstreeks mijn slaapkamer binnenwandelde."

Ze draaide zich snel om. Hij stond zo dichtbij dat ze zijn warme adem op haar gezicht voelde. „Ik dacht dat je ziek was," zei ze.

Zijn blik ging naar de mand die ze op tafel had gezet. „Je kwam met versterkende middelen. Wat lief van je."

Ze wist niet of het door zijn woorden kwam, of door de opluchting dat hij in levenden lijve voor haar stond, maar opeens liepen de tranen haar over het gezicht. Hij trok haar tegen zich aan en mompelde: „Stil maar, liefje. Stil maar."

Toen ze zich met moeite losmaakte zag ze dat haar tranen zijn overhemd hadden natgemaakt. Beschaamd liep ze enkele stappen bij hem vandaan.

Hij verroerde zich niet, maar zijn ogen lieten haar niet los.

„Ik dacht dat je ziek was," zei ze voor de tweede keer.

„Dat was ook zo. Maar laten we 't eerst over die andere zieke hebben. Iedere dag ben ik van hier het bos doorgelopen tot ik Francis' huis zag liggen. Ik heb nooit bijzondere activiteiten gezien, dus ik dacht, hij moet het gehaald hebben."

Ze knikte. „Raoul is nu aan de beterende hand. Maar het is spannend geweest. Misschien hebben onze gebeden toch geholpen." Het laatste zei ze een tikje uitdagend.

Langzaam zei hij: „Die dag dat de dominee kwam, zelf was ik toen ook doodziek, toen heb ik gebeden. Ik denk niet dat de dominee het zou hebben goedgekeurd, maar ik zei: 'Heer, dit is geen echt werk, zoals toen bij

Lazarus. Dit is voor U maar een kleinigheid. Het zal nauwelijks iets van Uw tijd kosten om Uw oog deze kant op te richten.' En kennelijk heeft Hij dat gedaan."

Ze glimlachte naar hem en hij ging door. „Ik weet dat dit niet thuishoort in de gebruikelijke gebeden. Maar de dominee was er voor de mooie woorden."

Er lag nog steeds een lachje in haar ogen toen ze zei: „Je bent heel bijzonder."

„Jij ook. Wij zouden heel goed bij elkaar gepast hebben."

Ze negeerde dit laatste en liep naar de mand om enkele dingen uit te pakken. „Ik vroeg me af of je voor jezelf kon zorgen."

„Dat heb ik altijd gedaan. Ik ben een week ziek geweest. Kougevat die dag dat Raoul in het water viel. Ik neem je goede gaven in dank aan, al was het alleen maar omdat ze van jou komen."

Toen hij naar de tafel kwam begon haar hart te bonzen. Gejaagd zei ze: „Ik moet gaan. Francis weet niet dat ik hier ben."

„Dat zou ik hem ook maar niet vertellen. Lenore kwam hier ook en dat vond hij niet leuk. Het probleem is, Francis kan niet zo goed met vrouwen omgaan."

Er was een glinstering in zijn ogen en op dat moment was hij weer de man die deed wat hij wilde, zonder met iemand rekening te houden.

De man die ze beter kon ontlopen.

„Francis is een goede man. Beter kan een vrouw zich niet wensen."

„Goedheid is zo saai, vind je niet? Ik heb me vaak afgevraagd of je wel verliefd op hem bent."

„Ik houd van hem."

„Natuurlijk doe je dat. Veel mensen mogen Francis graag. Dit in tegenstelling tot wat men voor mij voelt.

Francis is een geziene figuur en ik niet."

Plotseling was hij naast haar, haalde haar naar zich toe en kuste haar. Ze worstelde om los te komen, maar het was zinloos.

Pas toen zijn hand aan de knoopjes van haar jurk friemelde had ze de tegenwoordigheid van geest om haar knie omhoog te brengen. Ze had hem geraakt, want hij liet haar los en even stonden ze hijgend tegenover elkaar.

„Hoe durf je," bracht ze uit.

„Ik doe niets wat jij niet wilt, lieve Wendy. Dat doe ik nooit met vrouwen. Weet je, met jou is het anders. Je bent niet zo mooi als Lenore, maar je boeit mij. Ik moet steeds aan je denken, ik wil met je praten, je mening vragen. Wij samen zouden…"

Ze hief haar hand. „Ik ben getrouwd, of was je dat vergeten?"

„O, ik kan dat gemakkelijk vergeten. Je had nooit met hem moeten trouwen. Ik weet zeker dat je bij mij terugkomt en dan gaan we samen weg."

„Ik ben nooit bij jou geweest, dus van terugkomen is geen sprake. Haal je niets in je hoofd, Roger, tussen ons is niets."

Ze begon naar de deur te lopen. „Wacht maar eens af," zei hij lijzig.

Bij de deur draaide ze zich naar hem om. „En Raoul? Is hij… van jou?" vroeg ze zacht.

„Wie weet," fluisterde hij, met weer die glinstering in zijn ogen.

„Schurk," siste ze hem toe.

Ze sloeg de deur achter zich dicht en holde de helling af. Toen ze vanuit zijn huis niet meer te zien was bleef ze hijgend staan. Ja, hij was een schurk. En hij zag geen kans een moment afstand te nemen van zijn streken. Hij zou er geen enkel bezwaar in zien om de vrouw van zijn broer te verleiden.

Zoals hij kennelijk ook Francis' eerste vrouw had verleid. En de vrouw van de buurman. Natuurlijk was hij niet gezien. Zoiets werd bekend.

Francis moest ervan hebben geweten dat Lenore zijn broer opzocht. Maar zou hij er ook een vermoeden van hebben gehad hoe ver die twee gingen? Of was hem dat pas duidelijk geworden toen Roger die opmerking plaatste over Raoul: ,,Hoe weet je dat hij van jou is?"

Dat het kind uiterlijk op Roger leek zei natuurlijk niets. Het was tenslotte dezelfde familie. Ze begon langzamer te lopen.

Even was Roger een heel andere man geweest. Als ze eerlijk was: een man die haar aantrok. Toen hij praatte over zijn ongerustheid om Raoul en haar vertelde dat hij had gebeden, had ze even genegenheid gevoeld. Maar hij deugde niet. Ze had hem beter niet kunnen opzoeken. Want nu zou hij weer lange tijd in haar gedachten komen spoken. En dat wilde ze niet.

Ze moest zich goed realiseren dat hij niet waard was dat ze een gedachte aan hem besteedde.

Voor Greetje met Arnout ging had haar vriendin eens gezegd: ,,Wij zullen het moeten doen met gewone saaie mannen zonder verrassingen. De echte kerels die meisjes ontvoeren op vurige paarden, mannen die je laten beven als ze alleen maar naar je kijken, die bestaan alleen in verhalen."

Ze had het idee dat ze nu zo'n man had gevonden. Maar het was gevaarlijk aan hem te denken.

❋9❋

Toen ze dicht bij huis was zag ze Francis juist uit de houtschuur komen.

Het bruine enigszins krullende haar bewoog in de wind. Een lange man, prettig om naar te kijken. Ze hield van hem, maar het was niet zo dat ze knikkende knieën en bevende handen kreeg als ze alleen maar naar hem keek. Daarvoor kenden ze elkaar waarschijnlijk te goed.

Hij liep haar tegemoet en toen hij vroeg waar ze was geweest, aarzelde ze niet. „Ik was bij je broer. Hij is inderdaad ziek geweest. Hij is nu weer beter."

Ze zag een rimpel boven zijn ogen verschijnen en pleitte: „Ik kon hem niet aan zijn lot overlaten. Hij heeft Raoul gered, daar kunnen we niet omheen. Ik heb hem wat te eten gebracht."

Francis streek zich over het voorhoofd of hij bepaalde beelden wilde verjagen. „Hoe gedroeg hij zich? Onbeschoft? Vrijpostig?"

„Hij is erg ongerust geweest over Raoul. Hij heeft voor het kind gebeden," zei ze.

„Ha, en dat geloof jij?"

„Ja. En ik geloof ook dat een eerlijk gebed waarde heeft."

„Eerlijk! Hij weet niet wat eerlijkheid is. Wendeline, ik wil niet dat je hem opzoekt."

Ze beet op haar lip. Haar onafhankelijke geest kwam in opstand tegen dit bevel. „Vertrouw je mij niet?" vroeg ze.

„Ik heb je al vaker gezegd, ik vertrouw hém niet. En

dat is volkomen terecht, naar mij is gebleken."

Wendeline zweeg. Francis had natuurlijk gelijk, zijn broer was niet te vertrouwen. Dat was haar deze middag weer eens duidelijk geworden.

Mat zei ze: „Goed, als jij het zo wilt, zal ik hem zo veel mogelijk ontlopen."

Hij knikte en liep weg. Ze keek hem na en het leek haar dat zijn schouders iets gebogen waren. Ze wilde niet dat hij zich zorgen maakte. Toch kon ze hem niet zeggen dat zij hem nooit ontrouw zou zijn. Want daaruit zou hij concluderen, dat die gedachte al bij haar was opgekomen.

Eigenlijk kon ze met niemand over haar verwarde gevoelens praten. Ook Greetje zou haar niet begrijpen. Ze zou zeggen dat ze getrouwd was en een goede man had die van haar hield.

Wat bezielde haar om een gedachte aan een Don Juan als Roger was te wijden?

Het was de spanning, dacht ze. Ze had nooit iemand als Roger ontmoet. Ze zou echter nooit haar huwelijk op het spel zetten voor een kortstondige verhouding. Want meer zou het niet zijn. Roger was het type om een vrouw te veroveren en als hij dan gewonnen had zocht zijn oog alweer iemand anders. En daar voelde zij zich te goed voor.

Nu ging ze eerst Raoul wakker maken. Straks zou ze Nienke gaan halen. Dan kon ze kennismaken met de moeder van het meisje bij wie Nienke speelde. Die vrouw scheen van haar eigen leeftijd te zijn.

De jonge vrouw, die Sietske bleek te heten was inderdaad niet veel ouder dan zijzelf. Ze had echter al drie kinderen, waarvan de oudste van Nienkes leeftijd was. Ze vroeg Wendeline een kop thee mee te drinken wat ze aannam.

Intussen bereidde ze Nienke erop voor dat ze zo naar huis gingen.

„Jij hebt het vast niet gemakkelijk met twee kinderen die niet van jou zijn," begon Sietske met iets meewarigs in haar stem.

„Moeilijk heb ik het ook niet. Ik sta er echt niet steeds bij stil dat de kinderen niet van mij zijn."

„Ze noemen je geen mama."

„Nee. Waarom zouden ze? Ik ben hun moeder niet en ik ben ook niet hun boze stiefmoeder."

„O, dat wilde ik er niet mee zeggen," krabbelde de ander haastig terug. „Misschien zijn ze met jou wel veel beter af dan met hun eigen moeder. Naar wat ik ervan gehoord heb was zij niet veel bijzonders."

Hoewel Wendeline dolgraag wat meer over Francis' eerste vrouw zou willen weten, vond ze het niet gepast daar met een betrekkelijk vreemde over te praten.

Daarnaast leek die Sietske haar iemand die graag babbelde. Ze nam haar laatste slokje thee en zei: „Van de doden geen kwaad, zullen we het daar maar op houden?"

De jonge vrouw staarde haar aan en leek voor even met stomheid geslagen.

„Bedankt voor de thee. Kom Nienke, we gaan."

Sietske knikte alleen en bleef hen nakijken tot ze om de hoek van de straat waren verdwenen. Als de vrouw van Francis Linders bedoelde, wat zij, Sietske, dacht dat ze bedoelde, en dat moest wel, dan zou ze nog eens raar op haar neus kijken.

Terwijl Wendeline naast het kind voortstapte bedacht ze dat het haar eigenlijk prima beviel om wat afgezonderd te wonen. Niemand bemoeide zich met hen en als er gepraat werd, wat ongetwijfeld gebeurde, dan hoorde zij het niet. Aan de andere kant zou ze van

Sietske heel wat te weten kunnen komen, ook over Roger. Maar ze wilde dat niet achter de rug van Francis om. Ze wilde hem eerst zelf de kans geven haar wat meer te vertellen.

Ze kreeg daar die avond toen de kinderen in bed lagen gelegenheid voor.

„Je weet dat ik bij Roger ben geweest," zei ze zo achteloos mogelijk.

„Dat zei je."

Francis keek op en ze zag dat zijn hand zich tot een vuist balde.

„Je was het daar niet mee eens. Maar toen ik hem voor het laatst zag was hij ziek. Ik voelde me verplicht hem op te zoeken."

„Ik heb gemerkt dat die plicht je niet al te zwaar viel."

Ze had Francis zelden zo'n sarcastisch toon horen aanslaan, zeker niet tegen haar.

„Hij had wel dood kunnen gaan. Hij was in zijn eentje en zonder verzorging. Ik begrijp jou niet, Francis. Je zit elke zondag in de kerk, waar je wordt verteld dat je moet omzien naar je naasten. Je broer is je naaste familielid."

„Mijn broer heeft geen enkele behoefte aan mijn zorg, evenmin als ik aan de zijne."

Wendeline zuchtte diep. „De problemen die jullie kennelijk hebben, daar sta ik buiten."

„Dat kan snel veranderen. Wendeline, ik blijf erbij, ik wil niet dat je hem opzoekt. Het is nooit in mij opgekomen om je iets te verbieden. Maar in dit geval maak ik een uitzondering."

Wendeline zweeg. Ze wilde hem niet irriteren door hierop door te gaan. Maar een verbod… Hij scheen haar opstandigheid aan te voelen, want hij vroeg: „Wil je me dat plezier doen, Wendeline? Beloof me dat je niet meer naar hem toegaat."

„Goed dan," zei ze kortaf. Later vroeg ze zich af waarom het haar zoveel moeite kostte deze belofte te doen. Ze hield van Francis en ze had voor zichzelf ook al uitgemaakt dat zijn broer niet deugde. Het leek Roger totaal niet tegen te houden dat ze met zijn broer was getrouwd. Als ze toegaf zou hij... Maar ze zou nooit toegeven. En dat wilde ze Roger nog weleens goed duidelijk maken. Dat hij niet van iedere vrouw kon winnen.

In de weken die volgden zag ze Roger alleen vanuit de verte. Hij was weer betrokken bij het werk. Ze waren of in de houtschuur of in de heuvels en zij bleef uit de buurt.

En toen op een zonnige namiddag eind juni stopte er een auto op het erf. Wendeline was bezig met boontjes afhalen. Nienke zat bij haar en tekende. Ze hadden daarvoor een oude tafel en stoel buiten gezet. Raoul zat naast haar op een stoof en brak de boontjes doormidden. Sinds het ongeluk was hij veel in haar nabijheid. Voorzover zij wist had hij Roger nog niet opgezocht.

Ze stond op en tuurde naar de auto, maar liet bijna de pan met bonen vallen toen ze zag wie er uitstapte. Allerlei gevoelens streden om de voorrang. Blijdschap, verbazing, maar ook ongerustheid. Er moest iets aan de hand zijn dat haar moeder hier in haar eentje naar toekwam.

Ze wist wel zeker dat dit regelrecht tegen de wil van haar vader inging. Ze bleef wachten tot Lucie de chauffeur had betaald en liep haar toen tegemoet. Haar hersens registreerden dat haar moeder een koffer bij zich had. Ze was dus van plan enige tijd te blijven.

„Zo kind, hier ben ik dan," zei Lucie of ze ervan uitging dat ze al enige tijd werd verwacht. Wendeline strekte een hand naar haar moeder uit en even omhelsden ze elkaar. Het was Lucie die zich snel weer losmaakte.

Wendeline zag tranen in haar ogen. „We hebben elkaar ruim een halfjaar niet gezien," zei Lucie of dat haar onverwachte komst verklaarde.

„Ik vind het heel gezellig dat je komt. Pa wilde zeker niet mee?"

„En dat zijn je pleegkinderen, neem ik aan," zei Lucie, zonder op het laatste in te gaan. De kinderen gaven haar een hand en bekeken Wendelines moeder met nieuwsgierige blikken. Zij zagen in deze omgeving weinig dergelijke dames, dacht Wendeline vermaakt. Zijzelf droeg bijvoorbeeld nooit meer een hoed, behalve als ze naar de kerk ging.

„Ik zal iets te drinken halen. Wat wil je, koffie of thee?"

„Liefst thee. Maar dat drink je toch niet buiten? Ik bedoel hier op deze bank?"

Wendeline dacht aan de tafel met rieten stoelen die het dienstmeisje bij haar thuis aansleepte die enkele keer dat ze buiten theedronken.

„Het is heerlijk buiten. Ik haal wel een paar stoelen," zei ze kalm.

Lucie keek om zich heen, toen viel haar blik weer op de kinderen die haar tersluiks opnamen. Boerenkinderen in haar ogen. Hoe had Wendeline zover kunnen afdalen? Het zou allemaal anders zijn gelopen als Paul indertijd niet zo'n drukte had gemaakt in verband met Harry.

Toen Wendeline terugkwam en het blad op tafel zette, vroeg ze: „Zit je altijd zo onbeschermd in de zon, kind? Gebruik je geen parasol of ten minste een hoed?"

„We leven hier anders dan jij, mam. Het zou belachelijk zijn als ik hier als dame gekleed de groenten schoonmaakte."

„Maar je hebt toch wel hulp?"

Lucie was duidelijk geschokt en Wendeline raakte geïrriteerd. Op dat moment kwam Francis om de hoek van het huis. Gekleed in werkkleren en op klompen, maar buitengewoon aantrekkelijk in Wendelines ogen.

„Wel, wel, wie hebben we daar?"

Hij begroette Lucie hartelijk en deed of het doodnormaal was dat ze zo plotseling was verschenen. Het was Lucie zelf die na een moment zei: „Jullie zullen het wel vreemd vinden dat ik zo onaangekondigd hierheen kom."

„Ik vind het niet vreemd dat je je dochter eens opzoekt. Ik had alleen gedacht dat je man dit niet zou goedkeuren," zei Francis bedachtzaam. „Mogelijk is hij van gedachten veranderd en dat kan ik alleen maar toejuichen."

„Paul weet het niet."

Het bleef even stil bij deze opzienbarende mededeling.

Wendelines gedachten gingen razendsnel. Waarom was haar moeder vertrokken zonder haar echtgenoot in te lichten?

Er moest iets gebeurd zijn. Ze dacht aan datgene wat Greetje haar had geschreven. Het kon toch niet zo zijn dat Lucie bij haar vader was weggegaan en niet meer terugwilde?

Haar moeder die altijd zo timide was en nauwelijks tegen haar man durfde ingaan. „Had je even genoeg van hem?" vroeg Francis of dit de gewoonste zaak van de wereld was.

„Hij… Er is een vrouw. Hij heeft een verhouding

met haar. Ik weet dat er vanavond een kerkenraadsvergadering is over deze kwestie. Ik wilde de uitslag niet afwachten. En ook niet het geroddel in het dorp. Ik word toch al zo meewarig bekeken. Het is al langere tijd aan de gang. Ik… ik haat die schijnheilighcid van hem."

Wendeline keek stomverbaasd bij deze uitbarsting. „En wat nu?" vroeg ze.

„Ik hoopte dat ik hier enige tijd kon blijven, verder heb ik niet gedacht."

„Dat kan natuurlijk," zei Francis opstaand. „Maar je man zal wel ongerust zijn."

„Ongerust over mij? Daar kan ik me niets bij voorstellen," antwoordde Lucie kil.

„Wij eten 's avonds altijd brood," ontdekte Wendeline dan. „Voor deze avond kan ik wel…"

„Welnee kind, doe geen moeite. Je hoeft je leven niet aan mij aan te passen."

Dit laatste was naar Wendelines gevoel niet helemaal waar. Ze wist namelijk heel goed hoe haar moeder een en ander gewend was. En dat was om te beginnen nict 's morgens in de keuken ontbijten, aan een tafel zonder tafellaken, samen met een stel rumoerigc kinderen.

Na die eerste morgen vroeg Wendeline haar moeder of ze misschien liever op haar slaapkamer wilde ontbijten. Maar dat weigerde Lucie beslist. Na het ontbijt keek ze een beetje hulpeloos toe hoe haar dochter de tafel afruimde en de afwas deed. Wendelinc bracht Nienke een eind op weg naar school. Toen Wendeline later met de stofdoek in de weer was en buiten de was ophing voelde ze zich toch een beetje opgelaten.

„Heb je dan helemaal geen hulp, kind?" vroeg Lucie opnieuw.

„Een keer in de week een werkster. Dat is echt voldoende, moeder."

„Is Francis wel goed voor je?"

Wendeline begreep dat Lucie hieraan twijfelde alleen al omdat haar dochter in haar ogen te veel huishoudelijk werk moest doen.

„Francis is een goed mens. En hij is me absoluut trouw," antwoordde ze kalm.

„Dat was je vader vroeger ook," antwoordde haar moeder.

Na enkele dagen begon Wendeline zich af te vragen hoe lang dit bezoek zou gaan duren en tegelijkertijd schaamde ze zich voor die gedachte.

Toen kondigde Francis aan dat hij voor een paar dagen weg moest. Hij wilde in Duitsland gaan kijken naar een moderne houtzagerij. Hij wilde gaan zien hoe het hout daar vervoerd en verwerkt werd en of een transportauto haalbaar was. Hij wilde Raoul meenemen. Sinds het kind ziek was geweest probeerde hij toch wat meer met zijn zoon op te trekken.

De avond voor zijn vertrek, toen ze in hun slaapkamer waren zei hij: „Ik laat je niet graag alleen. Maar nu je moeder er is, heb je gezelschap. En het is hooguit voor vijf dagen."

Wendeline wilde niet vragen wat de reden was dat hij haar liever niet alleen wilde laten. Ze vermoedde namelijk dat dit alles met Roger te maken had. Maar sinds die ene keer, nu alweer zes weken geleden, had ze Roger niet anders dan vanuit de verte gezien. In elk geval, Francis hoefde zich geen zorgen te maken. Haar moeder zou haar vast niet uit het oog verliezen. „Ze is hier alweer een week," zei ze hardop.

Francis, die al in bed lag, steunde op zijn elleboog en keek haar in de spiegel aan. „Als ze het plan heeft hier te blijven, zullen we Rina vragen of ze de twee lege kamers bij haar kan krijgen."

„Dat doet moeder nooit," zei Wendeline stellig.

„Ik vind niet dat ze eisen kan stellen," weerlegde Francis.

„Ze heeft haar hele leven al haar eisen ingewilligd gezien. Althans door haar personeel," antwoordde Wendeline.

„Jij hebt het heel wat slechter getroffen," meende Francis.

„Ik ben blij dat ik iets te doen heb. Het bevalt me beter dan ik ooit heb kunnen denken," zei Wendeline.

Francis' ogen volgden de verrichtingen van zijn vrouw in de spiegel en hij glimlachte naar haar. „Ik ben vijf dagen en nachten weg," zei hij zacht.

Ze legde de borstel neer en gleed in zijn armen. „Als je maar terugkomt. Wat zou ik zonder jou moeten beginnen?"

„Ik wil nooit meer zonder jou zijn," zei hij op dezelfde toon.

Francis vertrok de volgende morgen al vroeg. Wendeline bracht Nienke naar school en toen ze terugkwam was haar moeder aan het koffiezetten.

Wendeline had bijna gezegd: „Dat hoef je niet te doen," maar ze hield zich in.

Het was niet verkeerd als Lucie eens iets huishoudelijks deed, in plaats van rustig op een stoel te zitten. Ze zaten juist met hun koffie voor zich toen de deur opendraaide en Roger binnenkwam. Wendeline verschoot van kleur. Waarom kwam hij juist nu, terwijl Francis weg was? Was dat opzet? Op dat moment was ze blij dat haar moeder er was. Roger begroette Wendeline vluchtig, maar Lucie uitgebreid. Hij bleek ineens de manieren te hebben van een zeer hoffelijk persoon uit een zuidelijk land, tot en met een handkus aan toe.

Binnen een halfuur was haar moeder volledig voor zijn charme gevallen. Hij vleide haar met de opmerking dat Wendeline onmogelijk haar dochter kon zijn. Hoe was ze toch zo jong gebleven? En hoe kon haar echtgenoot toelaten dat ze alleen op reis ging? Hij wist niet welke risico's hij nam. Daarbij, vond zij ook dat je van zo'n reis zo vermoeid en stoffig werd? Was ze van plan lang te blijven? Hij zou haar met plezier iets van de omgeving laten zien.

Wendeline had hem graag een schop onder tafel gegeven, maar ze hield zich met een uitgestreken gezicht afzijdig. Toen hij eindelijk was vertrokken, na nog een stiekeme knipoog die het bloed naar haar wangen joeg, zei Lucie: „Wat een ongelofelijk charmante man. Had je niet beter met hem... Hij heeft geen kinderen. Ook nooit een vrouw gehad, naar ik begreep."

„Hij heeft nooit een vrouw getrouwd," verbeterde Wendeline. „Hij is een schurk, moeder."

„Nou, nou dat lijkt me nogal sterk uitgedrukt. Wat heeft hij gedaan om zo'n hard oordeel te verdienen?"

Wendeline aarzelde. Even vroeg ze zich af of ze haar moeder in vertrouwen zou nemen over het feit dat ze zich niet veilig voelde met Roger in de buurt. Maar ze zag ervan af. Ze wilde niet dat haar moeder erachter kwam dat ze zich tot Francis' broer voelde aangetrokken. En dat ze hem daarom zo veel mogelijk ontweek. Vaag zei ze: „U weet zelf ook wel dat een mens niet altijd is wat hij lijkt. Hij schijnt vrouwen te ontvangen," voegde ze er toch maar aan toe. Haar moeder keek geschokt.

„Dat zal dan wel aan de vrouwen liggen. Zo'n man..." Haar stem stierf weg.

Wendeline keek haar vol verbazing aan. Was zelfs

haar moeder onder de indruk van Roger? Ineens overviel haar een machteloos gevoel. Als Francis' broer hier voor de rest van zijn leven bleef wonen, hoe kon ze hem dan weerstaan? Toen zei Lucie, met een voor haar doen ongewone openhartigheid: „Je bent nu ruim een jaar getrouwd. Ben je nog steeds niet zwanger?"

Wendeline kleurde en zei: „Francis wil liever nog wat wachten. Hij wil dat zijn kinderen volledig aan mij gewend zijn voor het zover komt."

„Zo. Hij heeft de zaken dus volledig in de hand?"

Wendeline voelde zich ongemakkelijk bij deze vraag. Ze was blij dat hun aandacht werd afgeleid doordat een auto het erf opreed. Ze had nooit met haar moeder over dergelijke zaken gepraat en wilde daar ook nu niet mee beginnen. De auto stopte vlakbij en de portieren werden geopend.

De onderdrukte kreet van Lucie bracht Nienke, die juist uit school was gekomen, ertoe, dicht bij Wendeline te gaan staan. „Wat komt die man doen?" vroeg het meisje zacht.

„Je hoeft niet bang te zijn," zei Wendeline. Ze begreep echter dat het meisje schrok van de forse in het zwart geklede gestalte.

Terwijl hij naar hen toe kwam reed de chauffeur tot bij het hek en zette daar de motor stil. Hij stapte uit en wachtte geleund tegen het portier, in de verte turend of alles hem verder niet aanging.

Lucie was opgestaan, en bleef zwijgend wachten, haar handen tegen haar borst gedrukt. Wendeline vond dat haar vader toch wel een indrukwekkende verschijning was. Toen dacht ze aan zijn bedrog en haar gezicht verstrakte.

Een andere vrouw…! Haar vader zag er in elk geval niet uit of hij zich ergens voor schaamde. Paul stond vlak bij hen stil en keek hen een voor een aan. Op bevelende toon zei hij: „Ik kom je halen. En schiet een beetje op, de chauffeur wacht."

„Ik ga niet mee," antwoordde Lucie. Het klonk niet erg overtuigend en haar man antwoordde dan ook: „Natuurlijk ga je mee. Je kunt hier niet blijven en je dochter lastigvallen. Ik dacht dat je verstandiger was."

Wendeline haalde diep adem. „Als moeder hier wil blijven, vinden wij dat goed."

„Bemoei je er niet mee."

Hij maakte een gebaar of hij een lastige vlieg wegsloeg. „Nou Lucie, komt er nog wat van?" Er klonk ongeduld in zijn stem en Wendeline zag aan haar moeders gezicht dat ze niet tegen hem op zou kunnen.

„Waarom ging je niet bij haar wonen?" vroeg Lucie niettemin.

„Kom, wat een onzin. Ik geef toe dat ik op het verkeerde pad was, maar ik heb er nu een eind aan gemaakt. Ik heb een fout gemaakt, maar God heeft me vergeven. Ik heb me teruggetrokken uit de kerkenraad nadat ik schuld heb beleden. Moet jij me nu ook nog straffen?"

Zonder een woord draaide Lucie zich om en ging naar binnen. Na een blik op haar vader volgde Wendeline haar. Zoals ze al verwacht had begon haar moeder haar koffer in te pakken. „Mam," begon ze.

Lucie maakte een gebaar. „Ik weet wat je wilt zeggen. Je zult wel gelijk hebben, maar ik heb al die tijd geweten dat ik hem niet zou verlaten."

„Hoe kun je het verdragen?" barstte Wendeline los. „Het is al geruime tijd aan de gang, Greetje schreef me erover."

Lucie keek haar aan en Wendeline zag dat alle veerkracht haar weer had verlaten. „Hij zegt dat God hem heeft vergeven. Dan moet ik dat zeker kunnen," zei Lucie met bevende stem.

„Je laat je altijd door hem de mond snoeren. Als Francis…"

Ineens dacht Wendeline aan het feit dat haar man weg was. En Roger… „Kun je niet blijven tot Francis terugkomt?" vroeg ze haast smekend.

Lucie schudde het hoofd. „Het is gebleken dat jij heel goed op jezelf kunt passen," zei ze kalm.

Wendeline zweeg. Ze ging de kamer uit. Ze zou haar moeder niet vertellen dat ze 't niet prettig vond alleen thuis te zijn.

Even later stond ze weer tegenover haar vader die zelfverzekerd zei: „Ik neem aan dat ze haar spullen bij elkaar zoekt."

Hoe graag had Wendeline gezegd: „Ze weigert mee te gaan." Hoe graag had ze hem onverrichterzake naar huis zien gaan, terwijl die zelfverzekerde trek van zijn gezicht was verdwenen.

In plaats daarvan zei ze: „Dus God heeft je je misstap vergeven? Hoe weet je dat? Kwam er een brief uit de hemel?"

Hij fronste het voorhoofd. „Waar ben je in terechtgekomen dat je dergelijke taal uitslaat? Je vraagt hoe ik dat weet? Zoiets voelt een mens."

„Nou, ik weet echt niet of je in dit geval op je gevoel moet vertrouwen," merkte ze scherp op.

Daarna deed ze er het zwijgen toe. Ze had geen enkele discussie ooit van haar vader kunnen winnen. Trouwens, daar was ze ook niet op uit. Maar hoe moeizaam het contact met haar moeder ook was, nu had ze medelijden met haar.

Lucie wilde met een handdruk volstaan, maar Wen-

153

deline hield haar even tegen zich aan. „Mam, als hij weer iets uithaalt, neem het dan niet weer. Je kunt hier terecht."

„Dank je, kind," fluisterde Lucie met een schichtige blik naar haar echtgenoot.

„Iets uithalen, wat een uitdrukking." Haar vader wierp haar een ijzige blik toe.

„Hoe zou jij het noemen?"

„Een misstap. En nu voel ik me bevrijd," klonk het vroom.

Wendeline antwoordde hier niet op. Hij wilde graag het laatste woord en hij kon het krijgen. Ze keek de auto na tot deze het hek was uitgedraaid.

Toen voelde ze Nienkes hand in de hare. „Ben je verdrietig?" vroeg het kind zacht.

„Een beetje."

„Omdat je mama weggaat? Mijn mama is ook weg, maar nu ben jij er."

Het bleef even stil terwijl Wendeline tegen haar tranen vocht. Het was heel moeilijk gebleken iets van contact op te bouwen met Nienke.

Misschien was dit het begin van een doorbraak. De blauwe ogen van het kind keken haar strak aan toen ze vroeg: „Je gaat toch niet weg?"

Wendeline schudde het hoofd. „Ik blijf hier. Bij papa en bij jullie."

❋10❋

Het viel Wendeline niet mee de komende dagen alleen door te brengen. Daardoor realiseerde ze zich dat Francis zich toch veel had laten zien. Hij was er 's morgens bij het koffiedrinken en ook tussen de middag. In de zomer werkte hij 's avonds soms enige tijd door, maar lang niet iedere dag. Het gebeurde ook dat ze samen buiten waren en genoten van een mooie zomeravond. Ze miste Raoul ook. Hoewel het haar tijd kostte hem in het gareel te houden miste ze zijn spontane vrolijkheid.

Rina zag ze wel iedere dag, maar met haar kwam ze ook niet veel verder dan een praatje over het werk, de groentetuin of het weer.

De derde dag zag ze Roger in de tuin aan het werk. Op enige afstand van het huis was hij bezig een paal in de grond te slaan. Wat moest dat betekenen?

Ze had natuurlijk het volste recht hem dat te vragen. Ze liep naar hem toe en keek even naar zijn werkzaamheden. „Wat ben je aan het doen?" vroeg ze.

Hij grijnsde haar toe met een glinstering van zijn witte tanden. „Ik ga hier een ren voor mezelf maken. Dan vraag ik of Francis mij opsluit en dan ga ik voortdurend naar jou kijken."

Ze stampvoette. „Behandel me niet als een klein kind."

Hij ging rechtop staan en pakte een volgende paal.

Zijn donkere ogen in het gebruinde gezicht keken haar strak aan en ze deed enkele stappen achteruit, ineens bang dat hij haar met het hout zou raken.

155

„Ik heb Raoul een schommel beloofd," zei hij toen op volkomen normale toon.

„Echt waar? Wat leuk. Thuis had ik ook een schommel."

Hij glimlachte en er was zoveel warmte in die glimlach dat haar ogen zich niet van hem konden losmaken.

Hij lachte plagend, vroeg toen: „Zal ik er voor jou ook een maken? Een grotemensenschommel?"

Ze kleurde en ineens ernstig vroeg hij: „Voel jij je soms ook alleen? Ik wel. Vooral 's avonds."

Toen keerde hij zich af en begon een gat te graven voor de volgende paal, keek haar niet meer aan.

Langzaam schuifelde ze achteruit, ze durfde zich pas om te draaien toen ze al wat verder weg was. Toen ze een vluchtige blik over haar schouder wierp, zag ze dat hij haar nakeek. O, bah, ze gedroeg zich of ze bang was dat hij haar van achteren zou neerschieten.

Toen Nienke die avond in bed lag, zat ze nog enige tijd buiten. Het was een warme avond. In de verte hoorde ze het onophoudelijk geroep van een koekoek. In het huis van Leendert en Rina sloeg een deur. Die twee zaten zelden buiten.

Wendeline zat daar tot de schemer alles onwezenlijk en vaag maakte. Toen stond ze op en ging het huis in. Ze zat in de vensterbank en tuurde naar de heuvels waar ze het huis van Roger wist. Ze zou toch een keer met hem moeten praten. Ze wist toch wat ze deed. Nee, nu ging ze niet naar hem toe.

Dat was vragen om moeilijkheden. Het leek of hij een bepaalde macht over haar had. Hij had gezegd dat hij zich vooral 's avonds alleen voelde.

Er was kans dat hij verwachtte dat ze deze avond naar hem toe zou komen. Hij verbeeldde zich dat geen enkele vrouw hem kon weerstaan. Maar zij wel.

156

Zij wachtte op Francis en ze wilde haar echtgenoot recht in de ogen kunnen kijken.

De volgende dag regende het. Wendeline voelde zich rusteloos. Bij dergelijk weer was je een gevangene in je eigen huis. Nienke was na school weer bij haar vriendinnetje blijven spelen. Sietske zou haar deze keer zelf terugbrengen.

Wendeline zat voor het raam en keek naar de gestaag neervallende regen. En toen zag ze Roger aankomen. Haar hand ging naar haar keel zonder dat ze 't zelf wist. Haar knieën knikten. O, waarom kon ze zich toch niet koel en afstandelijk gedragen? Wat waren dat voor spanningen die ze voelde iedere keer als ze Roger zag?

Ze haalde diep adem en stond op. Hij was echter al binnen voor ze in de gang was. Zonder plichtplegingen hing hij zijn natte jas over een stoel, maar nam niet de moeite zijn laarzen uit te trekken.

„Ik kom je iets zeggen," zei hij.

Ze strekte als in afweer haar handen uit, fluisterde: „Nee, nee."

„Ik dacht dat ik voor het eerst in mijn leven een eerlijk mens ontmoette toen ik jou leerde kennen. Maar je speelt met mij. Waarom zeg je het niet, zoals ik het nu ook ga zeggen? Ik houd van je en ik verlang naar je. Ik weet dat jij hetzelfde voelt. Waarom kwam je gisteravond niet naar me toe? Ik weet dat je het wilde. Ik weet het zeker."

„Ik ben getrouwd," protesteerde ze.

„Dat is mogelijk een reden om weg te blijven. Maar niet om het niet te willen."

„Ik wil het niet," zei Wendeline met veel nadruk. Hij strekte een hand naar haar uit en haalde haar moeiteloos naar zich toe.

Wendeline draaide haar hoofd af. „Doe dat niet. Doe dat alsjeblieft niet," fluisterde ze.

Maar hij deed het wel. Hij kuste haar en hield haar vast of hij bang was dat ze in het niets zou verdwijnen. Even plotseling liet hij haar los.

„Kom vanavond naar me toe. Anders kom ik je halen."

Hij beende het huis uit, nam niet de moeite om zijn jas aan te trekken, maar gooide deze over zijn schouders. Ze keek hem na terwijl ze nog steeds beefde. Natuurlijk zou ze niet gaan. Maar wat als hij haar inderdaad kwam halen? Moest ze soms Leendert om hulp vragen? Nee, dan zouden die mensen het weten… Ja, wat…? Dat ze bang voor Roger was? Maar in feite was ze nog het meest bang voor zichzelf. Ze kon het maar beter toegeven: ze was verliefd op Roger.

Het voelde heel anders dan de diepe genegenheid die ze voor Francis voelde. Ze werd als door een magneet naar Roger toe getrokken. Ze zou willen weten hoe het was als ze met Roger vrijde. Alleen de gedachte daaraan bezorgde haar al hartkloppingen. Ze wist dat ze die gevoelens de baas zou moeten worden.

Haar verstand zei haar dat meerdere vrouwen dezelfde gevoelens voor Roger hadden gekend. En hij had daar zonder scrupules gebruik van gemaakt. Ze moest gewoon haar verstand gebruiken. Ze hield van Francis en had een goed leven met hem. Dat wilde ze niet op het spel zetten voor een plotselinge hevige verliefdheid en de spanning die daarmee gepaard ging. Ze wilde Francis geen verdriet doen. Kwam hij maar terug. Maar het zou nog twee dagen duren voor ze hem weer zag.

Aan het eind van de middag werd het even droog. Nienke werd achter op de fiets thuisgebracht. Hoewel met tegenzin liet Wendeline Sietske even binnen. Ze had de indruk gekregen dat deze jonge vrouw graag praatte en nieuwsgierig was. Ook de manier waarop ze in de kamer rondkeek beviel Wendeline niet.

Toen Sietske vroeg: „Doe jij het huishouden zelf?" antwoordde Wendeline koel: „Je komt toch uit een chique familie?"

„Een mens leert door te doen."

„Maar je hebt toch een werkster. Dat scheelt een boel."

„Je bent goed op de hoogte."

„Ja. We weten hier veel van elkaar. En jij was een interessant geval," zei Sietske niet in het minst uit het veld geslagen.

„Hoezo interessant?" vroeg Wendeline verbaasd.

„Nou, er deed bijvoorbeeld een verhaal de ronde dat jij zelf naar Francis toe kwam en dat hij je niet wilde binnenlaten. Je hebt toen in de houtschuur geslapen. Jullie hebben natuurlijk enige tijd in zonde geleefd. Daar werd over gepraat. Maar nu jullie getrouwd zijn is het over. Het geroddel, bedoel ik."

Niet zolang er types als jij bestaan, dacht Wendeline. Maar ze zei het niet hardop. Toen Sietske opstond om te vertrekken zei ze nog: „Ik hoorde dat je man niet thuis is. Vind je dat verantwoord met Roger in de buurt? Ik bedoel, hij heeft een slechte naam. Vrouwen zijn voor hem niet meer dan speelgoed."

„Bedankt voor je waarschuwing, maar ik kan op mezelf passen," zei Wendeline, de deur voor haar openhoudend. Met een vriendelijke groet en de opmerking 'tot de volgende keer', vertrok Sietske.

Ze was zich blijkbaar van geen kwaad bewust. En waarom zou ze ook? Ze vertelde gewoon de dingen waarover gepraat werd. En ze waarschuwde haar voor

Roger. En als er iemand wist dat een dergelijke waarschuwing niet ongegrond was, dan was zij, Wendeline, dat wel.

Ze deed die avond enkele spelletjes met Nienke. Het was al vrij laat toen ze het kind naar bed bracht. Dat was min of meer ook ter bescherming van zichzelf. Ze hoefde nu niet meer zolang alleen op te zitten. Voor ze naar bed ging controleerde ze alle ramen en deuren en deed zelfs haar slaapkamerdeur op slot. Roger had gezegd dat hij haar kwam halen.

Als hij zich realiseerde dat hij een dergelijk voornemen beter niet kon uitvoeren als het licht was, dan kwam hij misschien vannacht opdagen.

Ze sliep slecht die nacht, maar gelukkig bleef alles rustig.

De volgende morgen was het weer helemaal opgeklaard. Wendeline haalde diep adem bij het open raam. Ze hoefde vandaag niet de hele dag binnen te blijven en te kijken naar de regen die tegen de ramen striemde.

Daar kreeg een mens maar verkeerde gedachten van. Gedachten als zou ze verliefd zijn op de broer van haar man. Wat een onzin. Ze hield van Francis en verlangde hevig naar zijn thuiskomst. Ze voelde zich nu sterk genoeg om Roger onder ogen te komen. Ze zou vanmiddag bij hem langsgaan om hem te zeggen dat hij haar met rust moest laten, besloot ze. Zij kon niet ontspannen leven als hij steeds om haar heen draaide, met bepaalde bedoelingen.

Roger zou toch niet willen dat Francis iets over zijn avances te weten kwam. Haar man zou denken dat de geschiedenis zich herhaalde. Daar leende zij zich niet voor. Zij was een andere persoon dan Lenore. Dat zou ze hem allemaal zeggen. Hij zou dan vast wel inzien dat hij bij haar aan het verkeerde adres was. Ze kon echter

160

geen beroep doen op zijn eergevoel, ze betwijfelde of hij zoiets had. Evenmin als een geweten trouwens.

Die middag was Nienke bij Rina in de keuken. De laatste was bezig een cake te bakken voor als Francis thuiskwam. Rina had het meisje beloofd dat zij het baksel mocht versieren.

Wendeline kleedde zich zorgvuldig in een donkere rok en een keurige witte blouse. Ze draaide haar haren in een knot op haar hoofd, maar kon niet voorkomen dat er overal krulletjes lossprongen.

Een beetje geërgerd keek ze naar haar spiegelbeeld. Ze wilde er ouder uitzien, maar dat lukte haar niet echt. Ze deed een paar keurige rijglaarsjes aan haar voeten en wist dat ze eruitzag als een schooljuffrouw. Even later trok ze de deur achter zich dicht en liep snel de heuvel op.

Toen ze eenmaal uit het zicht van het huis was, haalde ze diep adem om zichzelf onder controle te krijgen. Ze hoopte dat ze er zelfverzekerd uitzag. Dat haar hart bonsde kon niemand aan haar zien.

Even later zag ze het houten huis liggen. Het hol van de leeuw, schoot het door haar heen. Ze schudde in gedachten het hoofd. Ze moest niet overdrijven. Ze liep naar de deur, klopte en duwde deze gelijk open. Roger zat bij de tafel en ze zag onmiddellijk dat hij een fles drank binnen handbereik had. „Wel, wel, kijk eens aan," zei hij lijzig.

Wendeline keek in zijn donkere ogen, zag het bijna zwarte haar dat slordig om zijn hoofd hing, de lange gebruinde handen en onverhoeds begon ze te beven. Ze greep een stoelleuning en zei zo beheerst mogelijk: „Ik ben gekomen om je iets te zeggen."

„Lieve help, kom je op bezoek om tegen me te praten? Je weet wel beter."

161

Hij stond zo plotseling op dat zijn stoel omviel. Ze deinsde achteruit en het schoot door haar heen: wegwezen nu het nog kan.

Het leek echter of haar voeten aan de vloer vastzaten. Hij legde zijn handen op haar schouders en vroeg: „Waarom ga je zo zedig gekleed? Zoiets zou me juist op verkeerde ideeën kunnen brengen."

„Laat me los," zei ze, zonder zich overigens te verroeren.

„Ik heb je niet vast," zei hij vriendelijk. Toen boog hij zich naar haar toe en kuste haar. Ze wist niet waar ze de kracht vandaan haalde zich uiteindelijk toch los te maken. „Ik wil met je praten," zei ze zacht.

„Ik denk niet dat praten ook maar iets oplost, Wendy. Je moet een beslissing nemen, dat weet je heel goed. Er is iets tussen ons wat ontbreekt tussen jou en Francis. Je moet je realiseren dat je dat ontbrekende stukje waarschijnlijk nooit bij Francis vindt. De andere kant is, als je voor mij kiest, gaan we een onzekere toekomst tegemoet. Want je zult begrijpen dat wij dan niet hier kunnen blijven."

Heftig zei ze: „Je vergist je. Er is geen keus. Ik ben met Francis getrouwd."

„Dat is geen nieuws. Je had niet zo halsoverkop met hem moeten trouwen. Wat doe je, kies je voor een leven vol passie en avontuur? Of voor een saai, mogelijk liefdeloos bestaan?"

Ze staarde in zijn donkere ogen en draaide zich toen om. „Ik ga weg. Ik hoor hier niet thuis," zei ze moeilijk.

Met een ruk trok hij haar opnieuw tegen zich aan. „Dat doe je wel. Je hoort thuis bij degene die van je houdt. Dat ben ik en dat heb ik nog nooit tegen iemand gezegd."

Toen hij zijn armen om haar heen sloeg leunde ze bevend tegen hem aan. Ze verweerde zich zelfs niet toen hij de knoopjes van haar blouse begon los te maken. „Heb je erover nagedacht waar je deze nacht je hoofd zult neerleggen?" fluisterde hij.

Op dat moment sloeg de deur met een klap open. Wendeline schrok heftig, maar Roger liet haar zelfs niet los. Het was Francis die op de drempel stond en een moment dacht Wendeline dat hij een vuurwapen in de hand had.

Het was echter een stuk hout. „Wil je me daarmee een pak slaag geven?" vroeg Roger minachtend.

„Ik maak mijn handen niet aan je vuil. Ik beveel je zo spoedig mogelijk te vertrekken," zei Francis hees.

„Zo'n bevel kun je niet geven. De helft hier is van mij."

„Ik zal je uitkopen."

Er verscheen een glinstering in Rogers ogen. „Dat gaat je dan veel geld kosten. En besef je dat je vrouw met me mee zal gaan?"

Wendeline zag eindelijk kans zich los te rukken. „Je weet dat ik dat nooit zal doen," zei ze heftig.

„Ik zou niet te stellig zijn in mijn beweringen. Daarnet praatte je heel anders."

Wendeline ging er niet op in. Ze wilde geen discussie in het bijzijn van Francis. Hij was haar man en op dit moment wist ze weer dat hij degene was van wie ze hield. Ze had ook medelijden met hem omdat hij hen zo had aangetroffen.

Alle verliefde gevoelens voor Roger waren bij Francis' binnenkomst verdwenen. Ze was nu alleen woedend dat Roger haar in deze situatie had gebracht. Toen Francis het huis verliet, volgde Wendeline hem zonder nog achterom te kijken.

163

Ze voelde zich heel erg schuldig. Ze wist heus wel dat ze niet alles op Roger kon schuiven. Ze had hem niet moeten opzoeken. Waarom had ze 't zover laten komen?

Ze had van tevoren kunnen weten waar dit op uit zou draaien. Als ze eerlijk was had ze naar een beetje spanning verlangd. En nu was Francis kwaad op haar. Ze zou zijn woede maar over zich heen laten komen, want ze had het verdiend.

Francis beende zwijgend naast haar voort en eenmaal in huis zei hij geen enkel woord. Hij verkleedde zich snel en ging naar het huis van Rina en Leendert. Vermoedelijk om te praten over wat er de afgelopen dagen zoal was gebeurd in Duitsland. Raoul en Nienke speelden samen, ze waren elkaar zo'n beetje aan het herontdekken. Ze hoorde Raoul af en toe een opmerking maken over de reis met zijn vader.

Wendeline hield zich bezig met het avondeten en verkleedde zich in een jurk waarvan ze wist dat Francis deze erg leuk vond. Even later trok ze het kledingstuk echter weer uit.

Ze wilde Francis toch zeker niet in een gunstige stemming brengen door middel van een jurk. Dat was haar eer te na. Francis kwam op de gewone tijd aan tafel, praatte met de kinderen en negeerde Wendeline totaal.

Ze wierp af en toe een vlugge blik op hem, maar hij deed net of ze er niet was. Ze bracht de kinderen wat vroeger dan anders naar bed. Ze wilde met hem alleen zijn en praten over wat er gebeurd was.

Gelukkig was Raoul erg moe en na een wat langer voorleesverhaal maakte Nienke evenmin bezwaar. Toen ze terugkwam in de kamer zat Francis aan tafel en bestudeerde enkele papieren.

Na een moment hield ze het niet meer uit. „Francis, het spijt me heel erg."

Hij keek haar vluchtig aan, maar wijdde zich direct weer aan zijn correspondentie, mompelde: „O ja? Wat spijt je? Dat ik voortijdig thuiskwam?"

„Ik wil mezelf niet schoonpraten, maar Roger is…"

Plotseling sloeg hij met zijn vuist op tafel. „Ik weet hoe Roger is. Ik heb dat al van ontelbare vrouwen moeten horen. Ook van mijn eerste echtgenote. Ik had alleen gedacht dat jij anders was. Dat jij eerlijk was. Waarom was je zo verontwaardigd over je vader? Je bent geen haar beter. Het is wel duidelijk dat ik je niet alleen kan laten."

Hij steunde het hoofd in de handen en praatte voor zich heen. „Waarom, Wendy? Hoe kon je dit doen? Ik vertrouwde je. Denk je dat ik de afgelopen dagen met een vrouw naar bed had kunnen gaan? Al zou ik het gewild hebben, dat zou ik nooit kunnen. De enige vrouw die ik wilde is de vrouw van wie ik hield."

Wendeline besefte heel goed dat hij in de verleden tijd sprak en haar keel kneep samen. „Ik ben niet met hem naar bed geweest," zei ze zacht.

„Misschien nog niet. Maar het was er wel van gekomen."

„Dat, nee, het was niet de bedoeling," barstte ze los. „Ik miste jou en ik voelde me alleen. Er is verder niets gebeurd. Heus Francis, ik houd te veel van jou om…"

„Wendeline, er is altijd een moment waarop je een keuze moet maken. Vertel me nou niet dat je van de ene man houdt en met de andere naar bed wilt. Bespaar me dat. Ik heb jullie gezien. Vertel me dus eerlijk wat je wilt, Wendy. Ik wil Roger hier weg hebben en vroeg of laat gaat hij. Ik weet zeker dat hij al vertrokken zou zijn als jij er niet was geweest. Denk je dat ik niet gemerkt had dat er iets tussen jullie gaande was? Ik heb met Lenore immers hetzelfde meegemaakt. Ik dacht alleen dat jij anders was."

„Het spijt me," zei ze voor de tweede keer. „Het blijkt dat ik ook maar een gewoon mens ben. Ik heb niet veel ervaring met mannen. Roger is zo'n..." Ze aarzelde. „Zo overrompelend," zei ze toen. „Ik dacht dat ik sterk genoeg was om hem te zeggen dat hij uit mijn buurt moest blijven. Maar er kwam, ik weet het niet, iets over me..."

„Zullen we dit verder maar laten rusten? Ik ben niet benieuwd naar alle details. Ik had moeten weten dat je deze proef niet zou doorstaan."

Ze ging naar de keuken om thee te zetten en stond halverwege plotseling doodstil. Proef...? Wat bedoelde hij daarmee? Hij had geweten van de aantrekkings- kracht tussen haar en Roger. Was hij weggegaan om haar op de proef te stellen? Haar hand trilde toen ze water in de theepot schonk.

Als dat zo was, als hij haar opzettelijk in deze posi- tie had gebracht, alleen om te kijken of ze sterk genoeg in haar schoenen stond, nu, dan had hij zijn verdiende loon gekregen.

Even later liep ze naar de kamer en zette het blad met een klap op tafel. De kopjes rinkelden en hij keek op. „Ging je weg om mij op de proef te stellen?" vroeg ze langzaam.

„Ik moest weg. Ik heb je verteld waarom," reageer- de hij kalm.

„Maar je wist..."

„Ik hield rekening met de mogelijkheid dat ik jou, evenals indertijd Lenore, in zijn bed zou vinden. Indertijd kon het me niet zoveel schelen. Maar jij... ik kwam niet voor niets eerder thuis."

„Om ons te betrappen," zei ze bitter.

„Om jou voor een misstap te behoeden," verbeterde hij.

„De arrogantie," zei ze woedend. „Mij voor een misstap behoeden. Dat kan ik alleen zelf met hulp van God. Ik geef toe dat ik de laatste dagen niet voortdurend aan Hem heb gedacht, noch aan ons huwelijk in de kerk. Maar jij hebt ook niet aan Hem gedacht, anders had je mij niet met je schurkachtige broer alleen gelaten."

„Het is wel de omgekeerde wereld als ik nu de schuld krijg," zei hij boos.

Wendeline stond op en verliet de kamer, ging de trap op. Ze wilde niet met hem in een vertrek zijn. Het enorme schuldgevoel had plaatsgemaakt voor een even grote woede. Ineens schoot haar iets te binnen. Stel, dat Roger in het complot had gezeten, stel, dat hij toestemming had van Francis om te proberen hoever hij gaan kon. Nee, nee, nu moest ze het niet erger maken. Zoiets kon ze van Francis niet geloven. Hij mocht dan niet de deugdzaamheid zelf zijn, hij was wel integer, daar was ze zeker van.

Het was echter wel vreemd dat Roger totaal niet was geschrokken toen zijn broer ineens opdook.

Ze lag al in bed en deed of ze sliep toen Francis binnenkwam. Hij schoof naast haar, zo ver mogelijk bij haar vandaan en de centimeters tussen hen waren onbekend en verboden terrein geworden.

De dagen die volgden gingen ze uiterst beleefd, maar afstandelijk met elkaar om. Wendeline begon zich nu te realiseren hoeveel aandacht ze altijd van Francis had gekregen. Hij kwam deze dagen alleen binnen om te eten. De koffie dronk hij bij Rina, of hij nam een kan koffie mee naar het werk in de heuvels.

Die koffie was dan wel koud voor het tijd was, maar blijkbaar dronk hij liever koude koffie, dan haar te vragen een kan te brengen.

De veranderde sfeer moest Rina en Leendert ook wel opvallen. Wendeline dacht dat ze op deze manier niet lang meer verder wilde. Toch wist ze dat er meer vrouwen zo leefden, ze hoefde alleen maar aan haar eigen moeder te denken. Lucie werd nooit ergens in gekend, haar mening werd nooit gevraagd. Zo was het bij haar thuis gegaan. In die tijd had ze er nooit bij stilgestaan dat het ook anders kon. Tot ze hier kwam.

Maar nu wist ze niet hoe ze de situatie kon veranderen.

Toen Francis zich die zondag klaarmaakte voor de kerk, weigerde Wendeline mee te gaan. „Nu we zo met elkaar omgaan kan ik daar niet met een vroom gezicht gaan zitten," zei ze strak.

„Ik heb jou nooit met een vroom gezicht gezien," zei hij even kortaf.

Hij drong echter niet verder aan. Toen Rina tegen haar zei: „Doe maar kalm aan. Ik zorg wel voor het eten," drong het tot Wendeline door dat Rina waarschijnlijk dacht dat ze zwanger was.

Mogelijk dat sommige mensen in de kerk dat ook dachten. Misschien maakte iemand er zelfs een toespeling op als Francis als excuus zou aanvoeren dat ze niet lekker was.

Want de waarheid zou hij natuurlijk nooit zeggen.

Toen iedereen weg was, stond Wendeline even voor het raam en nam toen een besluit. Ze zou haar ouders opzoeken.

En Greetje, die sinds half september een baby had. Het was toch niet vreemd als ze haar vriendin een bezoek bracht? Ze kon dit in elk geval beter doen dan naar Roger toe gaan, dacht ze bitter. Ze had hem de afgelopen week niet gezien. Misschien was hij wel voorgoed vertrokken.

Toen ze haar kleine koffer had gepakt drong het tot haar door dat Francis er bezwaar tegen zou hebben als ze op zondag reisde. Ze beet op haar lip.

Wat nu? Ook haar ouders zouden dit niet goedkeuren. Ze schudde het hoofd. De sabbat was er voor de mensen en niet andersom. Een moderne predikant had eens uitgelegd dat al die regels en verboden door mensen waren verzonnen. Ze gaf zichzelf toe dat deze opmerking haar nu wel goed uitkwam.

Na een halfuur vertrok ze op de fiets naar de dichtstbijzijnde plaats waar een station was. Ze moest er weer aan denken hoe ze hier twee jaar geleden was gekomen. In de huifkar van de buren. Ze had toen in de houtzagerij overnacht. Leendert had haar weleens verteld dat ze er zo devoot had bijgelegen dat hij even aan een heilige had gedacht.

Nu dat was ze niet, verre van dat. Maar het was ook weer niet zo dat ze een slecht mens was, zoals de dominee haar soms wilde doen geloven. Je zou daar helemaal treurig van worden en dat kon Gods bedoeling niet zijn, had Francis weleens opgemerkt, na de zoveelste donderpreek. Toch, evenals haar vader had hij haar een gelovig lichtgewicht genoemd.

Francis! Ze kon nu beter niet aan hem denken. Daar had ze in de trein nog tijd genoeg voor. Het was rustig in de trein en tijdens de lange reis had ze inderdaad alle tijd om na te denken. Over Francis bijvoorbeeld, die van haar hield en op wie ze bouwen kon. Over de twee kinderen die steeds meer naar haar toe trokken. Haar leven, comfortabel, zonder overdreven rijkdom, maar

169

zeker geen armoede. Ze hadden het goed. Leendert en Rina die als een opa en oma voor Francis' kinderen waren. Waar ze altijd terecht kon.

Zou ze dat allemaal willen weggooien voor een kortstondige verhouding met Roger? Daar kon geen sprake van zijn. Ze hield immers niet van Roger.

Maar ze werd wel door hem gefascineerd. Het was gemakkelijk om het op deze afstand verstandelijk te bekijken, maar als ze eerlijk tegenover zichzelf was, dan moest ze toegeven dat ze min of meer verliefd op Roger was. Hoe zou Francis reageren als ze dit tegen hem zei? De liefde voor haar echtgenoot was toch meer waard, dan de verliefde gevoelens die ze voelde als ze Roger zag.

Ze wist alleen niet zeker of Francis dat ook zo zou zien. Misschien had ze wel een verkeerde stap genomen door weg te gaan. Stel je voor dat Francis onmiddellijk naar Rogers huis toe zou gaan in de veronderstelling dat ze daar was.

Stel je voor dat hij zijn jachtgeweer meenam. Ze huiverde, nam zichzelf dan onder handen. Ze mocht toch hopen op een beetje gezond verstand bij de beide broers.

❋11❋

Op het station maakte ze gebruik van een taxi die haar rechtstreeks naar haar ouderlijk huis bracht. De auto stopte voor het hek en Wendeline stapte uit. Alles zag er nog precies zo uit als toen ze vertrok.

Langzaam liep ze het hek door de tuin in. Bij de schommel stond ze stil, zette haar koffer neer en ging zitten. Zachtjes heen en weer wiegend leek het haar even of de tijd had stilgestaan. Maar dat was een illusie. Ze was nu heel iemand anders dan het meisje dat twee jaar geleden op deze schommel had gezeten.

Ze hoorde hier niet meer thuis. Ze pakte haar koffer en liep in de richting van het huis. Haar ouders zaten in de tuinkamer en rezen beiden overeind toen ze haar zagen aankomen. Lucie was snel bij de deur.

„Wendeline, wat kom je doen?"

„Ik kom jullie opzoeken," zei ze, kortaf door deze weinig hartelijke begroeting.

„Maar zo onverwacht. Je bent toch niet bij je man weggelopen?"

Wendeline zette haar koffer neer. „Ik hoopte hier een paar dagen te logeren. Als het niet kan ga ik wel naar Greetje."

„Natuurlijk kan het. Je kamer is in orde. Maar je had ons moeten schrijven," zei Lucie nu.

„Het kwam onverwacht bij me op," zei Wendeline met een blik op haar vader die nog steeds niets had gezegd. Nu keek hij haar aan.

„Je hebt dus op zondag gereisd. Op dit bezoek zal geen zegen rusten."

Wendeline ging er niet op in. Haar vader dacht alles zo goed te weten.

Vroeger had ze een keer gezegd: „Het lijkt wel of u een regelrechte verbinding hebt met de hemel."

Ze was toen voor straf een halve dag in haar kamer opgesloten. Eigenlijk kon een mens in de buurt van haar vader alleen functioneren als hij of zij het voortdurend met hem eens was. Arme mama. Dan was Francis toch heel anders.

Terwijl Lucie voor de koffie zorgde, Mia was op zondag vrij, vroeg haar vader: „Wat brengt je hierheen? Ben je weg… bij die vent?"

„Die vent is toevallig mijn echtgenoot. Je schijnt de huwelijksbelofte van geen enkel belang te vinden, dat bleek al eerder dit jaar."

Hij wendde zich af en ze wist dat deze pijl doel had getroffen.

Langzaam zei hij: „Je moeder en ik hebben… Waar jij op doelt, dat hebben we uitgepraat. We zijn maar mensen, we maken fouten."

Wendeline zei er niets meer over.

Tot haar opluchting verdween haar vader na de koffie naar zijn studeerkamer. Hij voelde zich blijkbaar niet op zijn gemak. Wendeline was toch echt niet van plan hem de les te lezen. Wel vroeg ze haar moeder: „Is hij… is het over met die vrouw?"

„Ik ga niet de hele dag zijn gangen na. Maar als hij 't niet voor mij laat, dan toch wel voor de gemeenschap hier. En jij, Wendeline? Je hebt toch niets met die broer van je man?"

Wendeline kreeg een kleur. Ze had absoluut niet verwacht dat haar moeder over Roger zou beginnen. Lucie had hem slechts één keer ontmoet. Roger had zich toen uiterst charmant gedragen, herinnerde ze zich nu.

„Ik zag hoe hij naar je keek. Je bent nog zo jong en zo'n man, daar kun je niet omheen, denk ik. Het is helemaal niet gunstig dat hij daar ook woont. Wees voorzichtig, laat Francis nergens de dupe van worden. Hij lijkt me een goede man."

Wendeline besloot niets los te laten over wat er werkelijk gebeurd was.

Haar moeder zou haar veroordelen, zoals ze haar hele leven ook zichzelf had veroordeeld als er problemen waren met haar echtgenoot. Papa werkt hard, placht ze te zeggen. Je kon niet verwachten dat hij veel aandacht had voor huiselijke omstandigheden, of zich verdiepte in vrouwenpraatjes.

Wendeline wist zeker, dat ze al bij voorbaat schuldig was in haar moeders ogen.

En dat Francis haar op de proef had gesteld zou ze waarschijnlijk heel normaal vinden.

Wendeline bleef twee dagen bij haar ouders. Ze merkte dat Lucie ervan genoot haar weer thuis te hebben. Hoewel ze af en toe wel een opmerking maakte in de trant van dat ze hoopte dat Francis haar dit niet kwalijk zou nemen. „Waarom zou hij? Jij staat hierbuiten," antwoordde haar dochter kalm.

Aan het eind van de tweede dag zei haar vader: „Zou je niet weer naar je man gaan? Wat hij ook gedaan heeft, je moet het hem vergeven."

Verbluft staarde ze hem aan. Zelfs haar vader had dus begrepen dat ze niet zomaar voor een gezelligheidsbezoekje was gekomen.

„Zal ik je naar de trein brengen?" vroeg hij, waaruit bleek dat hij geen tegenspraak verwachtte. „Ik ga morgen nog naar Greetje," zei ze.

„Wat moet je daar?"

„Zij is mijn vriendin."

„Daar breng ik je niet heen. In die buurt kom ik nooit."

Wendeline keek hem verbaasd aan. Voelde haar vader zich te goed om in de straat te komen waar Greetje woonde?

„Nou, ik denk niet dat ze op jou zit te wachten," zei ze koel.

Toen ze er met haar moeder over praatte, zei deze: „Arnout is nog altijd woedend op je vader dat hij indertijd door zijn toedoen bijna ontslagen is. Als hij hem tegenkomt spuwt hij op de grond.

„Hij durft," zei Wendy met een zeker leedvermaak.

Lucie keek haar hoofdschuddend aan. „Je moet respect tonen voor je vader."

„Dat moet hij dan wel verdienen," antwoordde haar dochter. Ze lachte om haar moeders gezicht. „Je moet eens wat meer voor jezelf opkomen," raadde ze.

„Ik heb geen zin in toestanden," was het antwoord.

Wendeline ging er niet verder op in. Lucie zou toch niet veranderen, evenmin als haar vader. Toch had ze redelijk positieve gevoelens over dit bezoek aan haar ouders. Meermalen was het gezellig geweest. Ze had ook het idee dat ze het feit dat ze met Francis was getrouwd hadden geaccepteerd.

Waarschijnlijk had haar moeder een en ander verteld over haar bezoek aan hen en was dat redelijk positief uitgevallen.

Wendeline ging de volgende morgen op haar moeders fiets naar Greetje en van daaruit door naar het station. De fiets zou ze daar laten staan, deze zou wel een keer worden opgehaald. Ze zette het rijwiel tegen het hek en liep zoals altijd haar gewoonte was geweest naar de achterdeur. Ze kneep haar neus dicht voor de stank van het varken en liep zonder meer naar binnen. Greetje zat bij de tafel, met de baby tegen zich aan.

„Ik vroeg me af of je langs zou komen," waren Greetjes eerste woorden. „Ik hoorde dat je hier was."

„Niets blijft verborgen," lachte Wendeline.

„In dit dorp wordt alles besproken," gaf Greetje toe. Wendy boog zich over de baby. „Mag ik even?"

„Ja, maar ga eerst zitten. Voorzichtig, denk om het hoofdje." Een beetje onhandig hield Wendeline de baby vast. „Dit is dus Wouter. Dat jij nu een kind hebt, Greetje," zuchtte ze.

„Nou, het was niet van de een op de andere dag," lachte haar vriendin. „Hebben jullie... is er bij jou nog niets aan de hand?"

„Ik weet niet of Francis nog kinderen wil," aarzelde Wendeline.

Greetje trok de wenkbrauwen op. „Nou, dat lijkt me tamelijk egoïstisch. Maar afgezien daarvan, ze komen wel zonder dat je 't wilt. Of weet jij hoe je een zwangerschap moet voorkomen? Behalve apart slapen dan?"

Opnieuw lachte Greetje en Wendeline had ineens het gevoel dat haar vriendin haar een beetje kinderlijk vond. En misschien was ze dat ook wel, Greetje leek ineens zo volwassen. Ze hield haar zoon voortdurend in de gaten. Het leek wel of ze bang was dat zij hem zou laten vallen. Pas toen ze Wouter had overgenomen en in zijn wieg had gelegd, leek ze haar vriendin echt te zien.

Ze vroeg naar de treinreis en of het vervelend was alleen te reizen. Ze informeerde naar haar ouders en zei dat de praatjes over haar vader nu geluwd waren. Ze vertelde dat de vrouw met wie hij om was gegaan inmiddels was verhuisd.

Dat was natuurlijk onder druk gebeurd, want het mens had geen leven meer. Ze werd zelfs nageroepen. „Zo ver durven ze bij je vader niet te gaan, terwijl hij toch ook schuld had. Maar bij een man zien ze dat altijd anders."

Onwillekeurig moest Wendeline aan Roger denken. Ja, mannen mochten alles, maar de vrouwen werden erop aangekeken. Waarschijnlijk dacht Greetje ook aan hem, want even later vroeg ze: „Die broer van je man. Werkt die daar nog steeds?"

Wendeline knikte alleen. „Hij is een ongelofelijke vent, nietwaar? Ik zou maar oppassen," zei Greetje nog.

„Ik pas heus wel op," zei Wendeline rustig.

„Blijf je eten?" vroeg haar vriendin en toen een beetje zenuwachtig: „Ik heb boerenkoolstamppot. Niets bijzonders."

„Houd toch op. Je denkt toch niet dat ik elke dag biefstuk eet? Maar ik blijf niet eten. Ik wil vandaag nog thuiskomen."

Greetje hield verder niet aan en met een vaag gevoel van onvrede vertrok Wendeline. Waren ze elkaar toch ontgroeid? Of kwam het door de baby dat Greetje in haar gedrag ineens zoveel ouder leek? Ze hadden ook niets meer gezegd over elkaar schrijven, bedacht ze zich. De briefwisseling tussen hen was altijd wat moeizaam verlopen. Hun leven was ook zo verschillend.

Ze had het idee dat Greetje pas echt weer in haar geïnteresseerd zou zijn als ze zwanger was.

Intussen was ze op het station en ze plaatste de fiets voor het gebouw zoals was afgesproken. Het bleek dat ze nog een halfuur moest wachten.

Als ze de trein zou missen was het donker voor ze thuis was. Stel nu eens dat Francis haar niet wilde bin-

176

nenlaten? Tenslotte was ze zonder een woord vertrokken. Misschien dacht hij wel dat ze voorgoed weg was. Ach nee, hij kende haar nu toch wel zo goed dat hij wist dat ze hem nooit in de steek zou laten. Het kon natuurlijk zijn dat Francis' vertrouwen in mensen niet groot meer was, na wat Lenore hem blijkbaar had aangedaan.

Het werd een lange reis, want toen ze in Nijmegen overstapte bleek de trein daar meer dan een uur vertraging te hebben. Toen ze eindelijk op de plaats van bestemming was was het al over tienen en helemaal donker.

Ze wist nu meer dan de eerste keer dat ze hier aankwam en liet haar fiets, die bij het station stond, staan en zocht naar een taxi. Ze was er echter net te laat voor. Er stapte een vrouw in en een beetje moedeloos zette ze haar koffer neer. Er was nu geen buurman met een huifkar te zien. Ineens hoorde ze haar naam roepen.

De vrouw was uit de taxi gestapt en riep haar. Het was Sietske en hoewel Wendeline aan een kant opgelucht was dat ze vervoer had, met deze medepassagier was ze niet zo blij. Ze zat nauwelijks toen Sietske haar eerste vraag afvuurde. Of eigenlijk was het geen vraag. „Je bent dus weer terug."

„Zoals je ziet. Ik was op bezoek bij mijn ouders."

Wendeline zei het op een toon die ieder ander zou hebben afgehouden van verdere vragen. Zo niet Sietske. „Men zei dat je voorgoed weg was."

„Men zegt zoveel. Je moet je beter op de hoogte stellen. Wat men zegt klopt zelden."

„Bij ons zeggen ze: 'er is geen koe zo bont of er is wel een vlekje aan'. Waarmee bedoeld wordt dat van elk praatje wel iets waar is," zei Sietske onverstoorbaar. „Nienke is een keer wezen spelen en ik kon merken dat ze erg ongerust was. Je weet waarschijnlijk niet dat je man en zijn broer hebben gevochten. Francis moest zich onder doktersbehandeling stellen."

„Ik zal het allemaal wel horen als ik straks thuiskom," zei Wendeline, inwendig bevend en zich met moeite beheersend om niet hardop te roepen: „Vertel me alles wat je weet."

Dat deed Sietske echter wel zonder dat ze ernaar vroeg. „Die twee hebben altijd met elkaar overhoop gelegen. Roger was degene die de streken uithaalde en er vervolgens Francis voor op liet draaien. Zo was het toen ze jongens waren. Eenmaal volwassen veranderde er wel iets. Maar Roger heeft ettelijke keren een meisje in wie Francis geïnteresseerd was van hem afgepikt. En toen kwam Lenore. Tjonge, wat een vrouw was dat. Ze had alles wat jij en ik niet hebben."

Sietske keek langs haar eigen magere figuur omlaag en toen naar Wendeline. „Jij bent ook niet zo rijk gezegend. Maar het komt met de jaren vanzelf goed, zegt men. Waar had ik het over? Lenore! Zij viel ook voor Roger. Ze bedroog Francis waar hij bij stond. Maar goed, zij is er niet meer."

„Wat bedoel je met ook? Zij viel óók voor Roger?" deed Wendeline eindelijk haar mond open.

„Nou, ik bedoel die meisjes voor haar. De broers schijnen om jou te hebben gevochten. Het was goed dat Leendert in de buurt was. Ze hadden elkaar wel kunnen vermoorden. Het is natuurlijk ook mogelijk dat het om heel iets anders ging. Maar toen jij weg was dacht men algemeen dat jij de oorzaak moest zijn."

„We zijn er bijna. Het is goed dat ik jou ontmoette, nu ben ik weer helemaal op de hoogte," zei Wendeline ijzig.

Een beetje onzeker keek Sietske haar aan. „Ik dacht

dat je 't wel wilde weten."

Ze is zich van geen kwaad bewust, dacht Wendeline. Daarbij, ze gaf toch enkel maar feiten door. „Een vrouw kan nooit lang van huis," probeerde ze een luchtige opmerking.

Toen Sietske uitstapte groette ze haar vriendelijk. Ze wilde niet ook nog de naam krijgen dat ze verwaand was.

Tenslotte ging Nienke regelmatig bij Sietskes dochter spelen en dat kon ze haar niet verbieden. En zo kwam ze nog eens iets te weten, al was het zelden iets goeds.

De auto stopte voor het ijzeren hek dat de woning en de houtzagerij van de weg afsloot. Het was erg donker. Af en toe verscheen er een streepje maanlicht vanachter de voortjagende wolken, maar dat was alles wat aan verlichting werd geboden.

Ze betaalde de chauffeur en liep langzaam op het huis toe. Ze wist nu de weg, maar toen ze voor de deur stond aarzelde ze.

Evenals twee jaar geleden was alles donker, waaruit ze afleidde dat Francis al naar bed was. Ze keek naar het andere huis, waar ze licht meende te zien bewegen. Mogelijk was daar iemand wakker geworden door het geluid van de auto.

Zachtjes liep ze naar de deur en klopte aan. Het duurde even voor de deur door Leendert werd geopend. Rina gluurde over zijn schouder.

„Lieve help, kind, ben jij het? Kom gauw binnen."

Wendeline liep langs hen heen en ging zitten aan de grote keukentafel.

Het was inmiddels half twaalf. Ze dacht eraan dat ze deze morgen in een ander deel van het land bij Greetje koffie had gedronken. Het was eigenlijk niet te begrijpen dat je in een dag van noord naar zuid kon reizen.

De twee mensen gingen ook zitten. Ze glimlachte in zichzelf om de blijkbaar inderhaast aangetrokken kleren.

„Ik was bij mijn ouders," zei ze op Rina's onuitgesproken vraag.

De vrouw streek met haar vinger wat kruimeltjes bijeen, zei dan aarzelend: „Had je niet beter een briefje kunnen achterlaten? Toen Francis zondag uit de kerk kwam en jou niet thuis trof, raakte hij compleet over zijn toeren. Hij dacht dat je bij zijn broer was."

„Waaruit blijkt dat hij totaal geen vertrouwen in mij heeft. Ik heb hem gezegd... hij had kunnen weten..."

Ze klemde haar lippen opeen. Ze kon deze mensen niet zeggen dat ze van Francis hield, maar dat ze desondanks had toegelaten dat Roger haar kuste. Deze twee rechtschapen mensen zouden er niets van begrijpen.

„Hoe is het nu?" vroeg ze zakelijk.

„Wel, toen ik hem zondag in die toestand de heuvel zag oprennen ben ik hem achternagegaan," zei Leendert. „Maar ik ben niet zo snel meer, dus ze hadden elkaar al flink toegetakeld voor ik kon ingrijpen. Francis heeft een gebroken rib en waarschijnlijk een hersenschudding. Hij moet in bed blijven. De ander had een blauw oog en nogal wat kneuzingen. Roger werkt echter wel. We kunnen hem op dit moment ook niet missen, nu Francis is uitgevallen. Hij heeft trouwens gezegd dat hij niet weggaat voor hij jou heeft gesproken."

„Hij kan hier niet langer blijven," zei Wendeline zacht.

„Dat ben ik met je eens," zei Leendert. „Ik hoop dat jij dat zelf ook inziet. Hij is al meer voor langere tijd weggeweest. Toen in verband met Lenore."

„Hij heeft hier ook rechten," zuchtte Rina. „Hun vader had indertijd moeten inzien dat die twee nooit kunnen samenwerken."

„Misschien dacht hij dat het goed zou komen?" weerlegde Leendert. „Ik weet nog dat hij hun op zijn sterfbed de tekst meegaf: 'Zie hoe goed en lieflijk is 't als zonen van hetzelfde huis als broeders samenwonen'. Mogelijk waren ze toen beiden van goede wil. Maar hun karakters zullen blijven botsen. En als er dan ook nog vrouwen in het spel komen."

„Zal ik naar huis gaan?" dacht Wendeline hardop.

Rina knikte: „Doe dat maar. Ik heb hier een sleutel."

Wendeline stond op en pakte haar koffer. „Bedankt," zei ze nog.

Ze is nog zo jong, hoe kan zij die twee heethoofden in de hand houden? vroeg Rina zich af.

„Na niet al te lange tijd zal Roger wel vertrekken," meende Leendert.

„In tegenstelling tot al die anderen heb ik de indruk dat Roger déze vrouw erg graag mag. Hij heeft altijd al willen hebben wat van zijn broer was," bromde Rina.

Wendeline opende de deur en stapte zonder geluid te maken de gang in. Ze opende de kamerdeur en stond even later besluiteloos midden in het vertrek. Ze kon niet naar boven gaan en naast Francis in bed schuiven. Misschien zou hij woedend worden en opwinding was nu vast niet goed voor hem. Ze deed maar het beste om in een van de stoelen te gaan zitten en te wachten tot het licht werd. Ze deed haar schoenen en jas uit en zat tien minuten in de hoge stoel, haar ogen op het raam gericht.

Vaag zag ze het bewegen van de bomen in de toenemende wind. Hoewel ze erg moe was viel ze niet in slaap. Haar gedachten waren bij de twee broers die kennelijk om haar hadden gevochten. Waarom was ze ook zo onverstandig geweest om die laatste keer naar Roger toe te gaan? Hoe had ze kunnen denken dat ze hem wel op een afstand kon houden.? Ze had medelijden met Francis die dit alles al eerder had meegemaakt. Ze vond het nog steeds geen stijl dat hij haar op de proef had willen stellen, maar ze begreep het nu beter.

Uiteindelijk stond ze toch op en liep langzaam naar boven. Francis leek diep in slaap. Ze maakte geen licht, kleedde zich in het donker uit.

Toen gleed ze naast hem. Hij schoof echter tot de uiterste rand van het bed.

Aan zijn veranderde ademhaling hoorde ze dat hij wakker was geworden.

„Ik was bij mijn ouders," fluisterde ze.

„Het valt me mee dat je bent teruggekomen," zei hij even zacht.

„Dat ben ik steeds van plan geweest. Maar ik moest hier gewoon even weg. En in die tussentijd slaan jullie elkaar zo ongeveer het ziekenhuis in."

„Het was goed dat Leendert kwam," mompelde Francis. „Ik was zo razend, ik had hem wel dood kunnen slaan. Ik ben heel erg van mezelf geschrokken, vooral van de haat die ik voelde. Ik zag dezelfde haatgevoelens bij hem. Goed, dat mijn vader dit niet meer hoeft mee te maken."

„Ik weet wat je vader gezegd heeft. Leendert vertelde het mij. Over als broeders samenwonen."

„Ja. Er is niet veel van terechtgekomen, vrees ik."

Het bleef even stil, toen zei ze op haar eigen directe manier: „Kunnen we opnieuw beginnen, Francis?"

Zijn hand raakte de hare. „Dat moeten we proberen.

Roger wil per se met je praten. Weet je, Wendy, ik begin te geloven dat hij echt van je houdt. Dat maakt alles nog veel moeilijker."

„Geloof je mij als ik zeg dat ik niets heb gedaan om dat te laten gebeuren?"

„Ik geloof je. Roger zegt dat jij ook van hem houdt. En dat je moet kiezen. Daar wil hij op wachten."

„Ik héb gekozen," antwoordde Wendeline. „Toen ik met jou trouwde maakte ik een keus voor het leven."

Hij kneep even in haar hand, maar zei niets.

Even later was hij in slaap gevallen. Wendeline lag naast hem wakker.

Ze voelde zich tamelijk vredig. Zij had de eerste stap genomen.

Nu haar gesprek met Roger nog. Een gesprek waarin ze definitief met hem zou afrekenen, zodat hij voor altijd wist dat zij niet beschikbaar was. Ze stond vroeg op. Francis sliep nog en ze ging de kinderen wakker maken.

Nienke, nog maar half wakker, schoot overeind in haar bed toen ze Wendeline zag. „Je bent weer terug. Is dat om te blijven?"

„Natuurlijk. Ik heb mijn vader en moeder een bezoek gebracht."

„Je had niets gezegd. En oom Roger zei…"

„Nou?" drong Wendeline aan.

„Dat jij… dat hij weggaat en jou dan meeneemt."

„Zei hij dat tegen jou?" vroeg Wendeline boos wordend.

„Tegen papa en ik hoorde het."

„Nou, het is niet waar. Ik blijf bij jullie wonen."

Raoul was duidelijk ook blij haar te zien. Hij reageerde luidruchtig op haar terugkeer en praatte veel. Toen maakte Wendeline een bad klaar voor Francis.

Hij was juist wakker en strekte een hand naar haar uit. Ze ging op de rand van het bed zitten.

„Wie had gedacht dat je mij nog eens zou moeten verzorgen," mompelde hij. „Het is dat de dokter heeft gedreigd met hoofdpijn voor de rest van mijn leven als ik voortijdig opsta. Anders was ik er al uit geweest."

„Wat is nou een week?" zei ze luchtig.

„Heb ik jou ooit weleens gezegd hoe mooi je bent?"

Ze keek hem eerlijk verbaasd aan. „Nee. Maar dat is niet zo. Ik ben te mager en ik heb sproeten en…"

„Kan wel zijn, maar het geheel is buitengewoon aantrekkelijk."

Wendeline kreeg er een kleur van, zei: „Ik denk dat die klap op je hoofd je waarneming een beetje heeft aangetast."

Hij grinnikte, zei toen: „Het geheel blijft een onverkwikkelijke zaak. Ik moet met Roger praten, we kunnen toch niet als vijanden tegenover elkaar blijven staan."

„Ik denk niet dat hij met dat laatste problemen heeft," merkte ze op.

Die morgen toen ze de was ophing stond Roger ineens achter haar. Voor ze opzij kon gaan legde hij een hand op haar schouder. „Laat dat," reageerde ze geschrokken.

„Doe niet zo idioot. Ik doe helemaal niets."

„En voor iets anders zul je de kans niet krijgen," reageerde ze fel.

Ze keek hem aan en schrok van zijn uiterlijk. Naast een blauw oog was er een scheurtje boven zijn wenkbrauw gehecht. Zijn ene wang was opgezet en er zat een verband om zijn pols.

„Nou, jullie zijn wel aan elkaar gewaagd," zei ze bitter.

„Dit was een zaak van groot belang. Wendeline, we moeten praten."

„Wat doen we dan nu?" Ze bukte zich naar een volgend stuk wasgoed.

„Je weet wat ik bedoel."

„Als je van mening bent dat ik naar je huis kom, dan vergis je je toch."

„Vanavond in de houtzagerij."

„Dan kom ik wel naar jou."

Ze keek hem niet na, ging verder met het ophangen van de was. Natuurlijk zou ze niet gaan. Ze zou niet in dezelfde valkuil stappen als nu ruim een week geleden. Ze kon deze zaak echter ook niet op zijn beloop laten.

De hele dag bleef ze zich afvragen of ze een en ander met Francis moest bespreken. Maar wat als hij haar verbood nog een woord met Roger te wisselen? Of als hij zelf mee wilde?

Als ze echter stiekem ging en hij kwam erachter, wat niet denkbeeldig was, dan zou hij haar nooit meer vertrouwen.

Dus zei ze aan het eind van die middag: „Roger wil me spreken."

Francis fronste het voorhoofd. „En?"

„Ik heb hem gezegd dat ik niet naar zijn huis kom. Hij zei dat hij in de houtschuur zou wachten."

„Ben je van plan naar hem toe te gaan?"

Er klonk ongeloof in zijn stem en ze haalde diep en beverig adem.

„Francis, je weet dat ik van je houd. Ik ben eerlijk tegen je geweest. Dat wil ik ook tegen hem zijn. Ik kan hem niet zonder een woord laten vertrekken. Hij heeft gedacht dat ik... dat ik iets voor hem voelde. En misschien had hij wel gelijk. Ik was door hem betoverd. Maar het heeft niets met jou te maken."

„Natuurlijk heeft het wel met mij te maken. Wat gebeurt er als die betovering je opnieuw overvalt?"

„Daar ga ik niet van uit. Francis, als je me nu niet vertrouwt, dan doe je dat nooit meer. Dat is geen leven voor ons beiden."

Ze verliet de kamer voor hij nog iets kon zeggen. Misschien was het wel heel onverstandig wat ze van plan was. In feite speelde ze met vuur.

Na het avondeten, toen de kinderen in bed lagen, verliet ze het huis en ging naar de houtzagerij. Ze had het gevoel dat ze buiten adem was. Haar keel was droog en haar knieën knikten.

Zacht opende ze de deur en bleef even staan tot haar ogen aan de schemer gewend waren. De vertrouwde geur van gezaagd hout was geruststellend. Ze deed enkele stappen en bleef toen weer staan.

„Ik ben hier, Wendeline," klonk het vlak bij haar. Hij stond tegen een werkbank geleund.

„Wat wil je, Roger? Waarover wil je praten?"

„Moet je dat vragen? Over ons beiden natuurlijk. Ik zal hier niet meer blijven. Als alles geregeld is dan ga ik om niet meer terug te komen. Je gaat toch met me mee, Wendy? We kunnen ergens anders opnieuw beginnen. Ik beloof je dat we geen armoede zullen hebben."

Ze wilde dat zijn stem niet zo klonk. Niet zo vol hoop en beloften. Zacht zei ze: „Roger, je weet dat ik hier moet blijven."

„Je moet niets. Ik heb je in mijn armen gehouden. Ik had heel ver kunnen gaan als ik gewild had. Ben je dat soms vergeten?"

„Er kwam toen iets over me wat ik niet had voorzien. Ik ben daar zeker niet trots op."

Hij deed een stap dichterbij en trok haar naar zich toe. „Luister, Wendy."

186

„Nee, nee, laat me los. Ik heb mijn keus gemaakt. Ik blijf bij Francis. Hij houdt van me en ik kan niet..."

„Wendeline, je hoeft nu nog geen definitieve beslissing te nemen."

„Ik heb die beslissing al genomen. Ik meen wat ik zei. Ik heb geen vertrouwen in verliefdheid. Het is een soort roes en het geeft me het gevoel of ik dronken ben. Dat houdt geen stand, dat weet jij evengoed als ik. De kans is groot dat je een enorme kater hebt als je weer met beide benen op de grond komt."

„Bij ons wordt het echte liefde."

Ze had hem nooit zo horen pleiten.

Er was iets wanhopigs in zijn stem en ze voelde zich er doodongelukkig onder. „Roger, alles wat ik tegen Francis heb gezegd, daar kan ik niet op terugkomen. Ik houd van hem en zijn kinderen. Ik ben hem zoveel verschuldigd en..."

„Dat laatste is zeker geen reden. Bij iemand blijven omdat je hem dankbaar bent is de dood voor de liefde."

„Dat is niet het enige. Ik zeg je toch dat ik van hem houd."

„En ik zeg dat ik van jou houd. Denk je dat dit een lichtzinnige opmerking is? Ik weet hoeveel Francis van je houdt en ik twijfel er niet aan dat jij van hem houdt. Maar het zal nooit worden zoals het tussen ons beiden kan zijn."

„Dat kun je niet weten, Roger." Ze liep enkele stappen bij hem vandaan. „Ik weet niet wat je verdere plannen zijn, maar je moet mij hiermee niet meer lastigvallen. Mijn laatste woord is: ik houd van Francis. Hij is de man met wie ik getrouwd wil zijn."

Ze draaide zich om en vluchtte haast de schuur uit. Eenmaal binnen zakte ze op een stoel en bleef daar zitten tot ze wat gekalmeerd was. O, ze wist wel zeker dat ze de enige juiste keus had gemaakt. Ze was er ook van overtuigd dat hetgeen ze voor Roger voelde een soort roes was. Een droom die geen stand kon houden als ze in de nuchtere werkelijkheid terugkeerde.

Ze wist daarbij ook zeker dat, als ze voor Roger zou kiezen, ze nooit meer een moment rust zou kennen omdat ze Francis en de kinderen in de steek had gelaten. Als het waar was dat God Zijn weg met mensen ging, dan was ze ervan overtuigd dat dat voor haar niet de weg was samen met Roger. Als ze die weg ging zou ze te veel mensen in verwarring achterlaten.

Roger zou het wel redden, dat had hij altijd gedaan. Maar Francis zou het vertrouwen in iedereen verliezen. Dat kon ze hem niet aandoen.

Met Roger kwam ze op een heilloze weg terecht. Dat kon dan allemaal waar zijn... wat was het moeilijk. Langzaam werd haar ademhaling rustiger.

Ze zou naar Francis gaan. Ze beklom de trap of ze heel erg vermoeid was.

Even keek ze bij de kinderen, dekte Raoul wat beter toe. Het kind mompelde in zijn slaap en draaide zich op zijn andere zij. Ze streelde het donkere haar. Misschien was hij de zoon van Roger. Waarschijnlijk zou ze dit nooit zeker weten. Ze ging de slaapkamer binnen en ging op de rand van het bed zitten. „Je slaapt niet," constateerde ze.

„Hoe zou ik dat kunnen als ik weet dat jij je misschien wel laat betoveren door mijn broer?"

„Ik ben hier, Francis. Ik heb hem gezegd dat jij de man bent met wie ik oud wil worden. Maar ik moest het hem duidelijk maken. Want hij hoopte..."

Haar stem trilde en hij kwam overeind en nam haar in zijn armen.

„Je hebt medelijden met hem," zei hij.

Ze knikte. „Maar ik ben bij jou teruggekomen. Ik voel me niet bepaald geweldig. Toch denk ik dat we vanavond… dat we elkaar moeten liefhebben."

Hij klemde haar vaster tegen zich aan. „Je hebt gelijk. Morgen of een andere dag is het misschien moeilijk om opnieuw te beginnen."

„Ja," zei ze en klemde haar vingers stijf om de zijne.

❄12❄

Na enkele dagen was Francis weer op en begon voorzichtig aan zijn werk. Hij had nog het meest last van zijn ribben. De dokter had hem stevig ingezwachteld, daardoor bewoog hij zich wat stijf. Hij kwam vaak het huis binnenlopen en Wendeline was altijd weer blij hem te zien. Hij bezorgde haar dan wel geen hartklopping, maar dat ze echt van hem hield wist ze zeker.

Roger zou ooit een herinnering worden. Overigens was hij er nog steeds, maar ze zag hem zelden en alleen vanuit de verte.

Het weer kreeg zo langzamerhand een herfstachtig karakter, dus ze kwam ook minder buiten.

Een aantal weken later wist ze dat ze zwanger was. Ze had genoeg informatie van Greetje gekregen om te weten wat de voortekenen waren. Een beetje onzeker vroeg ze zich af of Francis er blij mee zou zijn. Toen ze het hem vertelde.keek hij haar ongelovig aan, strekte dan zijn handen naar haar uit. Ze liet zich omarmen en legde haar hoofd tegen zijn schouder.

„Nu ben je echt van mij," zei hij zacht.

Ze boog haar hoofd om hem aan te kijken. „Maakt dat zoveel verschil?"

Hij aarzelde, zei toen: „Roger is hier nog steeds. Je zei dat je door hem werd betoverd. Maar nu je mijn kind verwacht zul je hier blijven. Bij ons. Waar of niet?"

Er verscheen een frons boven haar ogen. „Je vertrouwen is nog steeds niet erg groot."

„Het spijt me. Het is me eerder overkomen. En ook

wij tweeën zijn dicht bij de afgrond geweest."

Wendeline knikte. Ze besefte dat vertrouwen weer zou moeten groeien.

De voortdurende aanwezigheid van Roger was niet bepaald geschikt om Francis gerust te stellen. Francis' broer trok de laatste tijd weer wat meer op met Raoul.

Wendeline vond dat niet prettig, maar er was weinig wat ze ertegen kon doen. Roger sprong in haar ogen bijzonder wispelturig met het kind om. De ene dag nam hij hem mee de heuvels in en mocht hij overal bij helpen. Een andere keer snauwde hij het kind af als het alleen maar een vraag stelde.

Op een keer liep Raoul naast hem en ineens zag ze dat Roger het kind bij de arm greep en door elkaar schudde.

Voor ze had nagedacht was ze hen al achterna gehold. Toen hij haar voetstappen hoorde stond hij stil en draaide zich om. „Laat dat," hijgde ze. „Ik sta niet toe dat je hem zo hardhandig aanpakt."

„O nee? Wiens zoon is dit eigenlijk? De jouwe in elk geval niet."

Raoul had zich intussen losgerukt en was bij Wendy komen staan. Roger keek met een norse blik naar het kind en Raoul duwde zijn gezicht in Wendelines rok.

„Houd op hem te intimideren," zei ze boos.

„Weet je wat dat kind tegen mij zei? Ik vroeg hem of hij met mij meeging, maar hij weigerde. En toen ik vroeg waarom, zei hij dat hij bij jou wilde blijven. Zo'n opmerking komt mijn strot uit. Je hebt hem al aardig ingepalmd, hè?"

Wendeline keek in zijn felle zwarte ogen. „Inpalmen is het woord niet. Maar als Raoul de toestand zoals die nu is normaal gaat vinden, dan kan ik dat alleen maar toejuichen."

„Ik ga binnenkort weg," zei Roger toen.

Ze knikte. „Ik wens je veel geluk."

„Welnee, dat wens je me helemaal niet toe. Als dat zo was ging je met me mee."

Ze wilde haar mond opendoen voor een scherp commentaar omdat hij daar opnieuw over begon, toen Raoul haar voor was. Hij schreeuwde: „Ze gaat niet met jou mee. En ik ook niet. Jij hebt mijn papa geslagen."

Roger keek naar het kind, hij had zijn handen tot vuisten gebald.

„Wat heb je hem verteld?" vroeg hij Wendeline.

„Helemaal niets. Het is gebeurd toen ik weg was, weet je nog? Hij zal wel iets hebben opgevangen. Francis moest een week in bed blijven." En fel erachteraan: „Dat had jou beter kunnen overkomen, want jij voert toch hele dagen niets uit."

Hij deed een stap naar haar toe, maar haar ogen hielden hem op een afstand. En misschien ook het kind dat hem angstig aanstaarde.

„Waag het eens," zei Wendeline fel.

Opeens draaide hij zich om en liep de heuvel op. Ze bleef roerloos staan tot hij tussen de bomen was verdwenen. Was dit de man die haar in zijn armen had gehouden? Was dit dezelfde die haar had gekust en gezegd had dat hij van haar hield? Ze draaide zich om en begon terug te lopen.

Roger kon inderdaad beter zo spoedig mogelijk vertrekken. Ze maakten elkaar van streek. Maar stel nu eens dat het verkeerd met hem afliep? Ze wist niet precies wat ze zich daarbij moest voorstellen, maar in gedachten zag ze hem ergens dronken op straat liggen. Zonder iemand die zich om hem bekommerde, zonder onderdak misschien. Was zij daar dan schuldig aan?

Had ze hem in de steek gelaten? Maar ze kon geen aandacht aan Roger geven zonder dat hij daar meer achter zocht. Ze kon niet vriendelijk tegen hem zijn, omdat hij onmiddellijk dacht dat ze meer wilde. Het was bij hem blijkbaar alles of niets.

Toen ze die avond aan tafel zaten vroeg Raoul: „Wanneer gaat oom Roger weg?"

„Hoe kom je daarbij?" vroeg zijn vader.

„Hij vroeg of ik met hem meeging. En hij wilde ook haar meenemen."

Dit laatste met een knikje naar Wendeline. Deze ving een ongeruste blik op van Nienke. „Ik blijf hier, dat weet hij," zei ze kalm.

„Wanneer zal hij nu eens ophouden met onrust zaaien?" zuchtte Francis.

„Maak alsjeblieft geen ruzie met hem," verzocht Wendeline.

„Misschien moet ik de dominee inschakelen," meende Francis.

Wendeline begon te protesteren. „Dat lijkt me niet verstandig. De dominee is de laatste persoon aan wie Roger behoefte heeft."

„Laten we danken," zei Francis kortaf. Ze vouwde haar handen, maar haar gedachten waren er niet bij.

De kinderen stonden van tafel op en toen ze de kamer uit waren zei Francis: „Ik heb er moeite mee als Roger straks vertrekt en er is nog zoveel wrok tussen ons. Ergens in Spreuken staat: 'Een ruzie is als de grendel op de poort van een burcht'. En zo voel ik het ook."

„Maar wat kan de dominee daaraan doen? Jullie moeten dit zelf oplossen," zei Wendeline.

„Ik zal nog eens met hem praten. Misschien is het slim als ik Leendert erbij vraag," meende Francis.

Wendeline had haar twijfels. Ze dacht dat Rogers

haren overeind zouden gaan staan als de twee mannen hem opzochten 'om hem de les te lezen' zoals hij het ongetwijfeld zou opvatten. Ze vroeg zich af of ze Roger niet beter kon inlichten. Hem vragen of hij geen ruzie wilde maken.

Nee, ze kon zich beter afzijdig houden en niet de indruk wekken dat ze partij koos. In elk geval leek het er niet op dat Francis onmiddellijk actie zou ondernemen. Hij legde zijn voeten op een stoel en pakte de krant. Wendeline besloot eerst de kinderen naar bed te brengen, maar vond alleen Raoul.

Toen ze hem vroeg waar zijn zusje was haalde hij de schouders op. „Buiten, geloof ik."

„Buiten? Wat moet ze daar? Het is donker."

Raoul antwoordde niet en verdiepte zich opnieuw in zijn puzzel. Eigenlijk wilde ze Francis roepen, maar ze zag ervan af. Hij had de hele dag gewerkt en was nog steeds niet helemaal fit. En zover kon Nienke niet zijn, ze was hooguit een kwartiertje weg. Wendeline pakte haar jas van de kapstok en trok even later de deur achter zich dicht. Het was donkerder dan ze gedacht had.

De hele dag was het bewolkt geweest en nu was de wind opgestoken en blies regenvlagen in haar gezicht.

Wendeline liep tot bij het hek, af en toe Nienkes naam roepend. Ze zou echt niet weten waar ze het kind moest zoeken. Kon ze naar het dorp zijn, naar een vriendinnetje? Maar dan toch niet zonder iets te zeggen. Trouwens, Nienke wist dat ze bij donker niet naar buiten mocht. Was er iets gezegd aan tafel waardoor het kind van streek was geraakt?

„Hij wil haar meenemen," had Raoul opgemerkt.

Nienke had haar nogal verschrikt aangekeken. „Ik blijf hier," had ze geantwoord. Zou dat voldoende zijn geweest om het kind gerust te stellen? Waarschijnlijk niet. Het was niet denkbeeldig dat ze naar Roger was gegaan. Om hem te zeggen... Ja wat...? Ze was nog maar een kind.

Wendelines voeten droegen haar als vanzelf de stijgende weg op die glibberig was van de regen. Ze zocht af en toe steun bij een boomstam, tot ze een keer misgreep, haar evenwicht verloor en viel.

Haar voet probeerde houvast te vinden, maar ze gleed door tot ze werd gestopt door een boomstronk. Er gleed een felle pijnscheut door haar voet en ze kreunde hardop. Voorzichtig probeerde ze zich in zittende houding te manoeuvreren. Het is zo erg niet, vertelde ze zichzelf. Alleen haar voet deed erg pijn. En ze zat waarschijnlijk van top tot teen onder de modder. Ze probeerde op te staan en merkte dat dat niet lukte, omdat ze niet op haar elleboog kon steunen. O, waarom was ze er ook in haar eentje op uit egaan? Niemand wist waar ze was en misschien was het kind allang weer binnen. Ze ging ook weleens naar Rina en Leendert, bedacht ze zich nu. Werkelijk, ze had weer gehandeld zonder na te denken. Hier zat ze nu in de modder in de stromende regen. Als ze kouvatte was dit ook slecht voor haar kindje.

Opnieuw probeerde ze op te staan, maar met een kreet zakte ze weer terug op de modderige bodem. Zou ze hier tot morgenochtend moeten blijven zitten?

Ze sloot de ogen en prevelde: „Heer, laat iemand op het idee komen om mij te gaan zoeken. Het kan Uw bedoeling niet zijn dat ik ernstig ziek word en mijn kind verlies."

Het was geen echt gebed, maar verdere woorden had ze op dit moment niet tot haar beschikking.

Nienke was inderdaad het huis uitgegaan. Ze was

195

besloten om Roger op te zoeken. Ze wilde hem zeggen dat hij Wendeline bij hen moest laten.

Zij hoorde bij hen. Hij mocht haar niet meenemen, misschien kwam ze dan wel nooit meer terug. En dan was papa opnieuw alleen en zij ook. Ze stapte stevig door, ze wist heel goed de weg. Alleen was ze hier nooit in het donker geweest en ze haalde opgelucht adem toen ze het verlichte raam van Rogers huis zag. Misschien zou hij wel helemaal niet blij zijn haar te zien, bedacht ze zich nu. Papa en Wendeline zouden vast boos zijn omdat ze in het donker buiten liep. Ze beet op haar lip, maar bleef toch doorstappen.

Even later liep ze de houten trap op naar de veranda en klopte op de deur. Er gebeurde niets. Misschien hoorde hij haar niet. De wind en de regen sloegen tegen de ramen, het bos was vol geweld. Ze pakte een blok hout van de stapel die vlakbij lag en bonsde tegen de deur. Deze werd nu zo snel geopend dat ze bijna naar binnen viel. Ze keek angstig naar Rogers gezicht dat snel van uitdrukking veranderde. Eerst had ze er iets op gezien van blijdschap, of hij iemand verwachtte. Nu zag ze alleen verbazing.

Hij trok haar bij de arm naar binnen. „Wat doe jij hier met dat weer?"

Ze zei eerst niets, liet toe dat hij haar natte jas uittrok en over een stoel hing. De blokken in de open haard knetterden en hij pakte het stuk hout dat ze nog steeds in de hand hield en gooide dit op de stapel.

„Ga zitten," zei hij niet onvriendelijk. Hij schoof een rieten stoel bij en Nienke ging dicht bij het vuur zitten, voelde de warmte ervan op haar benen en haar gezicht.

„Is er iets gebeurd?" vroeg Roger toen.

Nienke schudde het hoofd. Hij keek haar even zwijgend aan en vroeg toen: „Wil je chocolademelk?"

196

Ze knikte, keek toe hoe hij in de weer ging met melk warmen en een busje cacao pakte. Terwijl Roger zo bezig was zei hij niets en Nienke legde doezelig haar hoofd tegen de stoelleuning. Hij kwam tegenover haar zitten en schoof een tafeltje, gemaakt van een boomstam, vlak bij haar stoel en zette daar de beker op. Nienke nam voorzichtig kleine slokjes.

„Nu moet je me toch eens vertellen wat je hier komt doen. Wil je voortaan bij mij wonen?" vroeg Roger.

Nienke schudde heftig het hoofd. „Ik wil graag bij papa en Wendeline wonen."

„Nou, dat doe je toch al?"

„Ja, maar... Raoul zei dat je hem wilde meenemen, samen met Wendeline. En dan ben ik alleen met papa."

Roger keek in de vlammen en zei de eerste ogenblikken niets. Ten overvloede zei Nienke: „Wendeline hoort bij ons. We zullen allemaal heel verdrietig zijn als ze weggaat. Papa ook."

„En wat denk je van mij? Ik ben helemaal alleen," mompelde Roger.

„Jij kunt toch iemand zoeken."

„O ja? Wie bijvoorbeeld?"

„Nou, de schooljuffrouw is ook alleen," droeg Nienke een oplossing aan.

„Je bedoelt dat mens met die bril en dat knotje op haar hoofd? Die is zeker al veertig. Je wordt bedankt."

„Vind jij Wendeline ook aardig?" was Nienkes volgende vraag. „Want papa en wij vinden dat ook en ze is met papa getrouwd. Dan kan ze niet met jou meegaan. Ik heb gebeden dat ze bij ons blijft."

Roger bewoog zich wat ongemakkelijk. „Ik neem Wendeline heus niet mee als ze niet wil," zei hij dan.

Nienke keek hem twijfelend aan. „Wendeline zei: 'Ik blijf bij jullie', maar misschien weet ze het nog niet zeker."

Dat was zeer goed mogelijk, dacht Roger bij zichzelf. Wendeline kon de aantrekkingskracht die er tussen hen bestond evenmin negeren als hijzelf.

Toch voelde hij zich niet prettig. Zo'n kind dat haar zaakjes kwam verdedigen. Toen zei hij: „Als je je chocolademelk ophebt, dan breng ik je naar huis. Ze zullen ongerust zijn."

„Ik wil dat je zegt dat Wendeline en Raoul bij ons blijven," drong Nienke aan. Ze liet zich niet van haar voorgenomen missie afbrengen.

„Dat zullen die twee zelf moeten beslissen," antwoordde Roger kortaf.

Nienke gleed van de stoel af. „Jij hebt haar niet nodig en wij wel," zei ze nog.

„In dat eerste kon jij je weleens lelijk vergissen," bromde Roger.

Hij opende de deur. Het regende nog steeds, dus trok hij zijn laarzen aan.

„Zal ik je dragen?" vroeg hij.

„Alleen een hand geven," zei het kind. Het klonk afstandelijk en hij grinnikte in zichzelf. Was zij de eerste vrouw die niet voor zijn charmes viel? Wie weet kwam er nu een generatie vrouwen die mannen als hij zeer kritisch bekeek. Maar Wendeline hoorde daar niet bij. Hij dacht aan haar sprankelend groene ogen en de sproetjes op haar neus en voorhoofd.

Als Francis er niet was geweest en als die twee niet zo verdraaid snel waren getrouwd, dan had ze voor hém gekozen. Roger was er zeker van.

Hij wist ook: de gevoelens die hij voor de vrouw van zijn broer had, dat was liefde. En hij kon zich er maar moeilijk bij neerleggen dat die gevoelens blijkbaar terzijde geschoven werden, als niet belangrijk. Hij sloot de deur en pakte het meisje bij de hand. „Kom. Als we niet opschieten komt er straks een reddingsploeg naar je zoeken."

In rustig tempo begonnen ze af te dalen. Het was erg donker, maar hij kon de weg wel dromen.

Ineens stond hij echter stil omdat hij meende iets te horen. Waren ze Nienke al aan het zoeken?

Voorzichtig liep hij verder, stond met een ruk stil, toen hij vlak bij zich hoorde: „Val niet over me heen. Ik zit hier."

„Lieve help, ben jij dat, Wendeline? Wat doe je daar?"

„Ik dacht, laat ik op deze mooie avond eens een modderbad nemen," reageerde ze geprikkeld. Hij grinnikte.

Toen zei ze: „Ik ging Nienke zocken. Ik had zo'n idee dat ze bij jou was."

„Ik ben hier," klonk het.

„Nou, dat is tenminste iets. Ik ben gevallen en ik kan niet opstaan."

„Ik zal je dragen."

Roger bukte zich en schoof een arm onder haar benen en om haar schouders en tilde haar op. „Leg je hoofd maar op mijn schouder," fluisterde hij. Wendeline hield haar hoofd echter halsstarrig rechtop, hoewel ze er een stijve nek van kreeg.

Hij beval Nienke vlak achter hem te blijven en ging langzaam verder met de afdaling. Eenmaal beneden bleef hij even hijgend staan en zei vervolgens: „Ik breng je automatisch naar Francis. Waarom neem ik je niet mee naar mijn huis?"

„Ze woont bij ons," klonk het onmiddellijk achter hem.

„O, dat kind is nu al een uur bezig als een soort

godin der gerechtigheid."

„Iemand moest jou eens tot de orde roepen," fluisterde Wendeline.

„Ik heb goede hoop dat jij nog van gedachten verandert," zei hij even zacht.

„Geen kans. Ik ben zwanger," flapte ze eruit.

Ze hoorde hoe hij zijn adem inhield. „Wel, wel, en is dat de reden dat je bij hem blijft?"

„Je weet wel beter."

Zijn stem klonk vreemd mat toen hij vroeg: „Ben je dus gelukkig?"

Ze antwoordde bevestigend.

„Maar niet zo gelukkig als een mens maar zijn kan," zei hij verder lopend.

Wendeline reageerde niet. Ze maakte zich een beetje ongerust over hoe Francis zou reageren als ze op deze manier werd thuisgebracht.

Ze hoefde niet lang op zijn reactie te wachten, want net binnen het hek kwamen ze hem tegen. Hij droeg een brandende lantaarn en scheen recht in Wendelines gezicht.

„Zet haar onmiddellijk neer," zei hij ingehouden tegen Roger.

„Dat zal niet gaan. Ze kan niet op haar voet staan," reageerde die kalm.

„Geef haar dan aan mij."

„Man, stel je niet aan. Ik leg haar binnen neer. Verder moeten jullie 't zelf maar uitzoeken."

Hij passeerde Francis en liep met grote boze stappen tot bij de deur die door Rina werd geopend. Deze slaakte een kreet.

„Lieve Heer, ze is toch niet dood?"

„Aangezien je van de Heer niet onmiddellijk antwoord zult krijgen zal ik het maar zeggen. Ze is springlevend, ze heeft alleen een gekneusde voet."

Rina mompelde iets over godslastering en ging hun voor naar het woonvertrek. Daar op de brede bank zette hij haar neer. Even keek hij op haar neer.

„Nou liefje, als je nog eens komt, kies dan beter weer uit."

Waarop hij de kamer verliet. Wendeline richtte zich een beetje op. Haar gezicht vertrok pijnlijk en Rina stopte enkele kussens achter haar rug. „Ik wilde dat je... dat je hem niet opzocht. Ik weet dat het mijn zaken niet zijn, maar als ik naar Francis kijk dan heb ik zo'n medelijden. Die jongen heeft nog zo weinig geluk in zijn leven gehad. Hij dacht het met jou te hebben gevonden. Gaat het nu dezelfde kant uit als indertijd met Lenore?"

„Ik heb helemaal niets met Roger," verdedigde Wendeline zich.

Rina antwoordde niet en daaruit begreep Wendeline dat ze niet geloofd werd. Nou goed, dan maar niet, dacht ze geïrriteerd. Mensen wilden toch altijd het slechtste van iemand geloven.

Toen Francis binnenkwam waren de twee kinderen bij hem. Raoul was blijkbaar uit bed gekomen. Toen ze naar haar man keek zag ze angst in zijn ogen.

Ze begreep dat hij bang was haar aan zijn broer te verliezen. Ze maakte een gebaar naar de plaats naast zich. Hij trok echter een stoel bij.

„Zeg niet weer 'het spijt me', dat kan ik niet verdragen." Ze keek naar de twee ongeruste kindergezichtjes en glimlachte.

„Ik was ineens Nienke kwijt. Jij zat net rustig en ik dacht: ik roep haar wel even. Toen ze niet kwam vermoedde ik dat ze bij Roger was."

„Vreemd dat je juist aan hem dacht. Nienke komt

daar nooit."

„Ik wilde tegen oom Roger zeggen dat hij Wendeline niet mee mag nemen," zei het kind nu.

„Zoiets dacht ik al," ging Wendeline verder. „Ik dacht: ik ga haar halen, maar ik viel. Toen Roger met haar terugkwam vond hij mij. Dat is alles."

„Oom Roger zei dat Wendeline zelf moet weten of ze met hem meegaat. En Raoul ook," kwam Nienke weer.

„Ik blijf hier," zei Raoul direct.

„Ik dus ook. Maar dat wisten jullie al," glimlachte Wendeline.

„Laat me die voet eens zien," zei Francis nu.

De kinderen waren ook zeer geïnteresseerd en stonden er met hun neus bovenop toen Francis voorzichtig haar schoen en kous uittrok. De voet was flink dik en ook blauw en Francis stelde voor er een nat verband om te doen. Ook de elleboog bleek flink gekneusd en Wendeline moest Francis gelijk geven. In haar omstandigheden had ze zich wel een beetje onverstandig gedragen door er in dit weer in haar eentje op uit te gaan.

In de dagen die volgden gaf Wendeline de voet zo veel mogelijk rust en na een week kon ze alweer korte afstanden lopen. Ze koesterde zich in Francis' aandacht en liefde. Op een rustige manier was ze gelukkig.

Toen de avonden steeds langer werden genoot ze van het samenzijn van Francis en de kinderen. Ze had haar ouders inmiddels geschreven dat ze zwanger was. Van haar moeder had ze een brief gekregen waarin deze schreef dat ze in het voorjaar, rond de te verwachten geboorte, zou komen.

Nu het winter werd zag ze ertegenop om zo'n lange

reis te maken. Ze schreef terloops dat papa natuurlijk ook verheugd was.

Wendeline nam dit laatste met een flinke korrel zout. Zover ze haar vader kende, zou het hem waarschijnlijk weinig interesseren. Ze schreef ook Greetje, die enthousiast reageerde en uitweidde over haar eigen zwangerschap en over haar zoon die alweer vier maanden oud was. Ze schreef ook dat Harry de Meester inmiddels vader was geworden. En ook dat hij steeds verwaander werd.

Ze vertelde tevens over allerlei mensen die Wendeline kende en deze kreeg de indruk dat contact met Greetje beter lukte per brief dan mondeling.

Het enige dat Wendeline deze tijd een onrustig gevoel gaf was dat Roger nog steeds in zijn huis in de heuvels woonde. Hij kwam sowieso vaak in haar gedachten. Ze moest er steeds aan denken dat hij altijd alleen was.

Voorzover zij wist dan. Maar als er een vrouw bij hem was zou ze dat ongetwijfeld van Francis of Leendert hebben gehoord. Ze praatte nooit over Roger. Ze wilde de harmonie niet verstoren.

Dat gebeurde echter toch en volkomen onverwacht op een namiddag begin maart. Wendeline was inmiddels zes maanden zwanger. Ze kwam deze dagen niet veel buiten. Het had gevroren en er lag wat sneeuw, de wegen waren onbetrouwbaar. Ze stond voor het raam toen de taxi het hek indraaide.

Ze bleef kijken, het gebeurde zo zelden dat ze bezoek kregen. Er stapte een vrouw uit. Ze was bijzonder chic gekleed in een bontjas en op hoge hakken.

Het helblonde haar lag als een kapje om haar hoofd. Wendeline voelde onwillekeurig aan haar eigen haren die voor het gemak loshingen. Haastig greep ze een lint dat op tafel lag en bond zo goed en zo kwaad als het ging zonder spiegel, haar kastanjebruine krullen bijeen.

Toen haastte ze zich de kamer uit, stond echter stil in de gang en wachtte.

Ze hoefde de deur niet te openen voor de vrouw die aan de bel had getrokken.

Eigenlijk wilde ze helemaal niet opendoen. Maar het was natuurlijk belachelijk iets te hebben tegen een persoon die ze nooit in haar leven had gezien.

Haar hart bonsde en gek genoeg had ze het gevoel dat er gevaar dreigde.

❊13❊

Toen de bel klingelde haalde ze diep adem en ging naar de deur. Toen ze deze opende ging de vrouw enkele passen achteruit en Wendeline had het gevoel dat ze onbarmhartig te kijk stond met haar verwarde haren en haar buikje.

Langzaam zei de vrouw: „Wel, wel, en wie mag jij wel zijn?"

Wendeline kreeg een kleur door de neerbuigende toon. „Ik zou die vraag aan jou willen stellen," zei ze op koele toon.

„Dat kom je gauw genoeg te weten als je mij binnenlaat."

„Ik laat geen vreemden binnen."

„Wel allemensen, ik ben geen vreemde. Voor niemand hier. De vreemdeling in dit huis, dat ben jij."

De vrouw duwde haar zonder meer opzij en stapte binnen, regelrecht de kamer in, waar ze haar bontjas op een stoel gooide. Wendeline stond haar een moment sprakeloos aan te kijken.

Ze zag zo wel dat deze vrouw heel mooi was en uiterst modieus gekleed.

Daar kon haar eigen wollen jurk niet tegenop. De vrouw was ook gepoederd en haar lippen waren rood gemaakt.

„Nou, als je mij genoeg hebt bekeken, vertel me dan maar eens wat jij hier doet?"

De vrouw was gaan zitten en sloeg haar benen over elkaar. „Ben je het liefje van Francis?"

Het klonk tamelijk ongeïnteresseerd.

Ze zocht intussen in haar tas en stak even later een sigaartje op, gebruikte daarbij een gouden pijpje.

Wendeline had dergelijke vrouwen alleen maar op een plaatje gezien en ze voelde zich steeds sjofeler worden. Langzaam zei ze: „Ik ben sinds twee jaar de vrouw van Francis. En wie ben jij?"

De ander keek haar met half dichtgeknepen ogen aan.

„Hoe kun jij zijn vrouw zijn als ik dat ben? Ik ben Lenore. De kinderen die hier wonen, ik neem tenminste aan dat ze hier nog zijn, zijn van mij. Nienke en Raoul."

Wendeline ging haastig zitten.

Ze voelde een vage misselijkheid opkomen en de vloer leek onder haar te golven. De vrouw bleef haar zonder enig meegevoel aankijken.

„Hebben ze nooit iets over mij gezegd?" vroeg ze koel.

„Ze hebben mij verteld dat je dood was," antwoordde Wendeline toonloos.

„Ach, is het heus? Nou, je ziet dat het niet zo is."

„Maar hoe kon Francis met mij trouwen als hij al getrouwd was?" fluisterde Wendeline wanhopig.

„Dat moet je hem vragen. Allemensen, je ziet er niet uit of je veel van mannen afweet."

„Niemand kan hertrouwen als iemands vrouw of man niet dood is," zei Wendeline heftig.

Lenore stond op en ging uit het raam staan kijken. Kon ze de aanblik van de ontredderde jonge vrouw niet langer aanzien?

„We zijn niet in dit dorp getrouwd. Vertel eens, hoe is het met Francis' broer, Roger?"

Wendeline antwoordde niet. Ze voelde zich lamgeslagen. 'Man alleen', dat had in de advertentie gestaan.

Zij was ervan uitgegaan dat Francis weduwnaar was en niemand had haar tegengesproken. Francis zelf had er nooit iets over gezegd. Alleen een vage opmerking dat zijn vrouw 'er niet meer was'. Wel had ze begrepen dat het zeker geen goed huwelijk was geweest.

„Zijn jullie gescheiden?" vroeg ze.

„Nee. Ik ben gewoon weggegaan."

„Hoe kon je de kinderen in de steek laten?"

„Nou... Zie je het verschil niet tussen jou en mij? Zie je mijn kleding en sieraden? Hier in dit achtergebleven gebied was ik geworden zoals jij. Een sloofje in een oude jurk en voortdurend zwanger."

Wendeline stond op. Ze voelde zich beverig, ook woedend. Ze deed enkele stappen naar de vrouw toe, maar op dat ogenblik ging de deur open en kwamen de kinderen binnen.

„Wendeline, ik heb..." begon Nienke, hield dan abrupt haar mond.

„Wie is dat?" vroeg Raoul die achter haar aankwam.

„Kinderen, ik ben jullie mama," klonk het dramatisch. Als Lenore had gedacht dat de kinderen zich onmiddellijk in haar armen zouden storten, dan had ze verkeerd gegokt. Ze gingen beiden aan een kant van Wendeline staan.

Deze had zo langzamerhand het gevoel dat ze een rol speelde in een slecht toneelstuk.

„Hoor je wat ze zegt?" fluisterde Raoul dringend. „Dat is toch niet waar, hè? Ik wil geen mama die er zo uitziet als zij."

„Dat is dan erg jammer, maar je zult het toch moeten accepteren. Waar is jullie vader eigenlijk?"

„Ga hem even roepen, Nienke," zei Wendeline zo kalm mogelijk.

Het meisje was de kamer al uit. „Het is een heel

vreemd gevoel. Dat zij mijn kinderen zijn," zei de vrouw peinzend.

Wendeline antwoordde niet. Ze ging weer zitten en Raoul leunde tegen haar aan, intussen achterdochtige blikken op de vrouw werpend.

Wendeline verroerde zich niet toen Francis binnenkwam, maar ze zag wel dat hij doodsbleek werd. Als ze al de vage hoop had gekoesterd dat deze vrouw een bedriegster was, dan bracht zijn uitroep: „Lenore, wat doe jij hier?" haar wel op andere gedachten.

Wendeline keek hem aan en hij deed een stap naar haar toe, legde zijn hand op haar schouder. „Heb je niet genoeg ellende gebracht zonder dat je de boel hier opnieuw komt verstoren?" zei hij fel.

„Ze vertelde me dat jij haar hebt wijsgemaakt dat ik dood was. Dat zou je misschien graag gewild hebben, maar zoals je ziet, ik ben springlevend."

„Het was gemakkelijker haar en de kinderen te laten geloven dat je dood was dan de waarheid te vertellen. Zou je hebben gewild dat ik de kinderen had ingelicht over je baantje? Het werk dat je had gekozen om veel geld te verdienen?"

Hij spuwde de woorden bijna uit.

Wendeline wrong zich onder zijn hand vandaan.

„Wendy, wat ze ook mag beweren, ik haat haar uit het diepst van mijn hart."

„Dat is niet zo fraai voor een braaf christen," sneerde Lenore.

Wendeline verliet het vertrek, negeerde Raoul die hard haar naam riep.

Ze pakte haar jas van de kapstok en stond even besluiteloos op de drempel.

Misschien was de weg onbetrouwbaar, maar ze zou het risico moeten nemen.

Ze wilde hier niet blijven, in een huis waar ze niet hoorde te zijn, bij een echtgenoot die niet de hare was. Er was maar een persoon waar ze nu naartoe kon gaan. Hoewel ze zichzelf had gezworen daar nooit meer heen te gaan. Er was geen andere oplossing. Misschien zou Roger haar willen helpen naar huis te gaan. Terug naar haar ouders waar haar kind over een paar maanden geboren zou worden. Een kind zonder wettige vader. Hoe had Francis haar zo kunnen bedriegen? Hij had meermalen gezegd dat hij van haar hield. En dat was ook zo, ze wist het zeker. Zoals zij ook van hem hield. Het was haar de laatste minuten duidelijk geworden dat hij deze Lenore niet meer wilde. Echter, als hij zijn eerste huwelijk niet ongedaan had gemaakt, dan had hij bigamie gepleegd; en daarvoor kon hij in de gevangenis komen.

Het kostte haar geruime tijd om bij het huis van Roger te komen. Toen hij de deur voor haar opende was haar gezicht nat van tranen.

„Ik had je zo gezegd de volgende keer beter weer uit te kiezen," zei hij.

Ze viel min of meer tegen hem aan en hij sloeg zijn arm om haar heen.

„Ik houd van Francis," was het eerste wat ze zei.

„Dat weet ik. Dat weet ik toch," zei hij sussend. Hij sloot de deur en leidde haar naar de bank bij het haardvuur.

„Francis heeft mij bedrogen," zei ze.

„Francis, mijn doodeerlijke broer? Daar geloof ik niks van. Ik ben degene die niet deugt. Hij is de rechtschapenheid zelf."

„Zijn vrouw is er," zei ze plompverloren.

Hij reageerde er niet op, vroeg in plaats daarvan: „Wil je iets drinken?"

„Hoor je me niet?"

„Ik hoor je."

Hij liep naar de buffetkast en pakte een glas en een fles wijn.

„Ik drink nooit," protesteerde ze.

„Dit is een goed moment om een glas te drinken," zei hij onverstoorbaar.

Even later zat hij tegenover haar en schonk zichzelf ook een glas in.

„Wil je me dronken voeren?" vroeg ze.

Hij glimlachte. „Als dat zou kunnen. Maar ik ben er inmiddels achter dat er met jou geen dingen gebeuren die je niet wilt. Zo, zo, dus Lenore is komen opdagen."

Wendeline haalde diep en beverig adem. „En jullie hebben mij laten denken dat ze dood was."

„Het heeft me altijd verwonderd dat niemand jou de waarheid heeft verteld. Maar je spreekt natuurlijk niet veel mensen."

Wendeline dacht aan de reactie indertijd van Rina en vooral ook van Sietske.

Deze had stomverbaasd gereageerd toen ze een opmerking maakte over Francis' overleden vrouw.

„Wat zei Lenore tegen je? Was ze onaangenaam?" vroeg hij nu.

„Ze zei dat zij de vrouw van Francis is. En daaruit volgt dat ons huwelijk onwettig is." Haar stem beefde.

Roger zweeg geruime tijd.

Wendeline kon niet weten dat hij 't heel moeilijk had met zichzelf. Hij wist, nu kon hij haar misschien voor zich winnen. Als er ooit een kans was, dan was het op dit moment. Dan zou hij echter de waarheid voor zich moeten houden. Hij zou de zaak moeten laten zoals die was en mogelijk zou ze voor hem kiezen. Al was het alleen maar omdat ze 't gevoel had dat ze geen kant uit kon. Hij haalde diep adem en gooide toen zijn eigen glazen in door te zeggen: „Francis en Lenore zijn nooit getrouwd geweest. Ik moet me al heel sterk vergissen als zij voor Francis is teruggekomen. Ik denk dat ze voor mij komt."

„Nooit getrouwd geweest?" herhaalde Wendeline deze voor haar belangrijkste opmerking.

„Lenore wilde nooit trouwen, ze wilde zich niet binden. Francis was een tijdje verliefd op haar. Je weet toch wat verliefdheid inhoudt?"

Hij boog zich wat naar haar toe en ze kreeg een kleur. „Jij hebt het mij geleerd," zei ze zacht.

„Dus je moet kunnen begrijpen hoe Francis eraan toe was. Lenore werd al snel zwanger en kreeg haar dochter, Nienke. Ze weigerde echter nog steeds te trouwen. Francis had het daar moeilijk mee. Hij was van mening dat ze in zonde leefden. Een aantal kerkmensen dacht er net zo over.

Toen ging Lenore mijn persoon interessanter vinden dan haar man en bij Francis bleef er weinig over van zijn eerdere verliefdheid. Ze werd opnieuw zwanger en toen Raoul ongeveer een jaar oud was vertrok ze."

„Is Raoul van jou?" gooide Wendeline eruit.

„Dat weet ik niet zeker. Ik denk dat zijn moeder het ook niet weet. Kijk niet zo geschokt. Dit alles gebeurde voor ik jouw onschuldige smoeltje zag. Maar zelfs als Raoul van mij is, bij Francis is hij beter af. Een evenwichtige vader en een geregeld leven. En daarbij een lieve vrouw die zijn moeder wil zijn."

De tranen schoten haar opnieuw in de ogen en ze legde haar hand op de zijne. „Wat nu?" vroeg ze.

„Zoals ik al zei, Lenore is voor mij teruggekomen. Ze woont in Duitsland. Ik zal met haar meegaan. Zoals je weet heb ik een flink bedrag aan geld nu mijn broer mij heeft uitgekocht. Misschien kan ik een woning kopen, niet te ver van een stad. Lenore zal enkele consessies moeten doen."

„Ze is rijk," begreep Wendeline.

Hij knikte. „Ze heeft jaren een rijke oudere minnaar gehad. Hij is nu overleden en ze heeft van hem geërfd."

„Jij bent haar dus blijven ontmoeten. Houd je van haar?" Hij keek haar strak aan en ze sloeg haar ogen neer voor zijn blik.

„Zij is tweede keus, dat weet je, nietwaar? Maar jij kiest de veilige weg."

„Ik ben nu drieëntwintig en ik verwacht een kind. Ik kies voor Francis en zijn kinderen."

Hij knikte. „Dat moeten ze dan maar eens weten ,vind je niet? Francis zal wel begrijpen dat je hier bent. Wilde je wachten tot hij je komt halen of zal ik je naar huis brengen?"

„Ik wacht," zei ze zonder aarzelen. Tenslotte was Francis haar wel een verklaring schuldig. Ze nam af en toe een slokje van de wijn die in haar keel brandde, maar haar vanbinnen verwarmde. Roger wierp af en toe een blik op haar, maar hij zei niets. Wendeline dacht dat ze nog steeds verliefd op hem was. Als hij straks was vertrokken zou hij in haar dromen terugkomen.

Maar ze wist dat ze de goede weg had gekozen. Een weg van liefde en zekerheid. Met een man als Roger zou ze nooit rust kennen. Hij was iemand die op zekere dag weer voor een andere vrouw zou vallen. Ze zag al voor zich hoe zij hem dan zou smeken te blijven en hoe hij haar een tikje minachtend zou opnemen. Het was beter dat het was zoals het nu was. Ze wist dat hij een zeker respect had voor haar houding.

Roger stond op en keek door het raam.

212

„Daar komt hij. Ik zie een lantaarn tussen de bomen."

„Wendeline…" Zijn stem klonk plotseling geëmotioneerd. „Als je ooit van het rechte pad wilt afwijken, laat mij het dan weten."

Ze zei niet: „Dat zal nooit gebeuren."

„Dat beloof ik je," glimlachte ze.

Toen werd er op de deur gebonsd.

„Kom binnen, Francis," riep Roger op ontspannen toon.

Toen Wendeline haar man zag, bleek en vermoeid en met wanhopige ogen, stond ze op.

„Wat heeft hij tegen je gezegd?" vroeg Francis hees.

„De waarheid," antwoordde Roger voor haar.

„De waarheid zoals Lenore deze vertelde?"

„De echte waarheid. En geloof me, dat was zeker niet gemakkelijk."

Beide broers stonden tegenover elkaar en Wendeline voelde de spanning tussen hen. „Moet ik je bedanken?" vroeg Francis.

Roger haalde de schouders op. „Als het je voldoening geeft, zou je dat kunnen doen."

Francis keek zijn vrouw aan. „En jij?" vroeg hij zacht.

„Ik ga met je mee, als de moeder van je kinderen weg is."

„Waarom heb je haar niet meegebracht? Moet ik haar soms gaan halen?" vroeg Roger stuurs.

„Ik kon niet langer in haar nabijheid zijn. Ze komt ook hierheen."

Roger draaide zijn rug naar hem toe en schonk zichzelf nog een glas wijn in. „Gaan jullie nou maar. Anders wordt het hier wel erg druk."

Wendeline keek naar zijn achterhoofd, met het zwarte haar dat over zijn overhemd hing en onverhoeds schoten haar opnieuw de tranen in de ogen. „Roger," zei ze zacht.

Geen van beiden merkte dat Francis de deur opende en naar buiten ging, waar hij zijn hoofd boog en een gebed uitsprak dat uit niet meer bestond dan: „Heer, laat me haar niet verliezen."

Roger keek haar aan. „Ga maar en wees gelukkig," zei hij ernstig. „Francis is immers de man van je leven?"

„Ja," gaf ze toe. „Maar jij zult altijd de man van mijn dromen zijn."

Ze glimlachten elkaar toe en toen ging Wendeline naar buiten, waar haar man wachtte. Ze greep zijn arm en samen liepen ze de moeilijk begaanbare weg, terwijl Francis onhoorbaar een dankgebed prevelde.

Eenmaal beneden kwam Lenore hun tegemoet. Bij het licht van de lantaarn zag Wendeline dat ze haar hooggehakte schoenen had verwisseld voor een paar afgetrapte sloffen, waarschijnlijk van Rina.

„Ik neem aan dat je afscheid hebt genomen," zei Francis, toen ze bij hen stilstond.

„Mijn kinderen zijn niet… ze willen niets van me weten," zei ze. „Jij hebt hun nooit iets over mij verteld, is het wel?"

„Zoals ik al zei, ik heb hun gezegd dat je dood was. Dat leek me beter."

„Nou, dan heb ik nu wel een bom laten ontploffen."

Ze richtte zich tot Wendy. „En jij? Ben je zo zwak dat je Francis' bedrog gelijk maar vergeeft?"

„Dat is geen zwakheid, maar kracht. En daarbij het inzicht dat ik zelf ook niet volmaakt ben."

Bijna had ze gezegd: Maak Roger gelukkig, maar ze hield zich in. Roger kon heel goed voor zichzelf zorgen.

214

Lenore vervolgde haar weg en zij tweeën eveneens.

Toen Francis de deur opende kwamen de kinderen hun tegemoet, gevolgd door een bezorgd kijkende Rina en Leendert.

„Ik was zo bang dat je niet zou terugkomen," zei Nienke.

„Hoe zou ik jullie in de steek kunnen laten?" glimlachte Wendeline. Ze knikte de anderen geruststellend toe.

„Als jullie 't niet erg vinden, dan ga ik naar bed. Ik ben erg moe van alles."

„We moeten nog eten," protesteerde Nienke die het liefst alles zo snel mogelijk weer normaal wilde hebben.

„Straks komt Wendeline nog wel even beneden," zei Francis.

„En die ander? Is zij bij Roger?" vroeg Leendert.

Francis knikte. „Dat was ze altijd al, zoals jullie weten."

Leendert zweeg.

Hij wilde niet zeggen dat hij de indruk had gekregen dat zijn broers aandacht de laatste tijd naar iemand anders was uitgegaan. Francis zou dat vast wel weten. Waarom nog meer onrust zaaien?

Wendeline zat op de rand van haar bed. Ze was hier, waar ze thuishoorde.

Dit was haar leven. Roger zou vervagen tot herinnering. Zij en Francis waren heel dicht bij de afgrond geweest. Nu hadden ze zich centimeter voor centimeter in veiligheid gebracht. Ze kon nu het leven leiden van een keurig getrouwde vrouw, samen met een man van wie ze hield en die haar liefhad. Ze was nu een volwassen vrouw die haar meisjesdromen voorgoed opzij had gezet.

De andere morgen bij het koffiedrinken zei Francis: „Vandaag vertrekken ze. Laten we afscheid nemen."

Ze knikte en liep met hem mee naar het hek. Ze zag de twee mensen de helling afdalen, de huifkar stond al klaar.

Lenore klom erin en keek strak voor zich uit, de bontjas dicht om zich heen of ze 't koud had. Roger keek naar hen en lichtte met een zwaai zijn hoed. Ze bleven staan tot ze uit het zicht waren.

„Houd me vast, Francis," fluisterde ze. En dat deed hij, in de wetenschap dat er altijd een deel van haar onbereikbaar voor hem zou zijn.

Hij was zeker van haar liefde, maar soms twijfelde hij of hij wel haar hele hart bezat. Hij wist daarbij uit ervaring: wat er vandaag was, kon er morgen niet meer zijn. Daarom was het zaak haar te koesteren en te beschermen. Ondanks alles was de dag van vandaag een dankgebed waard.